新　潮　文　庫

空が青いから
白をえらんだのです

―奈良少年刑務所詩集―

寮　美千子編

新　潮　社　版

9197

はじめに

むじゃきに笑う。すなおに喜ぶ。ほんきで怒る。苦しいと訴える。
悲しみに涙する。いやだよと拒否する。助けてと声に出す。
日常のなかにある、ごくあたりまえのこと。

そんなあたりまえの感情を、あたりまえに出せない子どもたちがいます。
感情は鬱屈《うっくつ》し、溜《た》めこまれ、抑えきれないほどの圧力となり、
爆発して、時に不幸な犯罪を引きおこしてしまいます。

その原因は、さまざま。その子自身の性質だけではなく、

家庭や学校の環境、社会環境などが、複雑に絡《から》まっています。
どこかひとつでも、助けになる何かがあったら、
理解してくれる人がいたら、溜めこまずに少しずつ思いを吐きだせたら、
もしかしたら、その犯罪は、防げたのかもしれません。
被害者を作ることもなく、彼らは犯罪者にならずにすんだことでしょう。

この詩集は、奈良少年刑務所の更生教育である
「社会性涵養《かんよう》プログラム」から生まれた作品を中心に五十七編を編んだものです。
「詩」は、閉ざされた彼らの心の扉を、少しだけ開いてくれました。

詩など、ほとんど書いたことのない彼らには、
うまく書こう、という作為もありません。
だからこそ生まれる、宝石のような言葉たち。
心のうちには、こんなに無垢《むく》で美しい思いが息づき、豊かな世界が広がっています。

そこから垣間見《かいまみ》える、彼らのやわらかな心、やさしさや苦悩。
彼らはいつか、あたりまえの心を素直に表現できるようになるでしょうか。

あたりまえの感情を、あたりまえに表現できる。
受けとめてくれる誰かがいる。
それこそが、更生への第一歩です。
受刑者たちの心の声に、どうか耳を傾けてみてください。

目次

カバー・本文写真　上條道夫
本文・装幀デザイン　島田隆

空が青いから白をえらんだのです

奈良少年刑務所詩集

くも

空が青いから白をえらんだのです

Aくんは、普段はあまりものを言わない子でした。そんなAくんが、この詩を朗読したとたん、堰《せき》を切ったように語りだしたのです。

「今年でおかあさんの七回忌です。おかあさんは病院で『つらいことがあったら、空を見て。そこにわたしがいるから』とぼくにいってくれました。それが、最期《さいご》の言葉でした。おとうさんは、体の弱いおかあさんをいつも殴《なぐ》っていた。ぼく、小さかったから、何もできなくて……」

Aくんがそう言うと、教室の仲間たちが手を挙げ、次々に語りだしました。

「この詩を書いたことが、Aくんの親孝行やと思いました」

「Aくんのおかあさんは、まっ白でふわふわなんやと思いました」

「ぼくは、おかあさんを知りません。でも、この詩を読んで、空を見たら、ぼくもおかあさんに会えるような気がしました」

と言った子は、そのままおいおいと泣きだしました。

自分の詩が、みんなに届き、心を揺さぶったことを感じたAくん。いつにない、はればれとした表情をしていました。

たった一行に込められた思いの深さ。そこからつながる心の輪。「詩」によって開かれた心の扉に、目を見開かれる思いがしました。

金色

金色は
空にちりばめられた星
金色は
夜　つばさをひろげ　はばたくツル
金色は
高くひびく　鈴の音
ぼくは金色が　いちばん好きだ

銀色

無限にある色のなかで
ぼくは　銀色が気になってしょうがない
銀色には　さまざまな姿が写る
人の姿や動き
物の形や大きさ
小さく写ったり
大きく写ったり
銀色は　見えぬ色でもあるけれど
見える色

すきな色

ぼくのすきな色は
青色です
つぎにすきな色は
赤色です

何も書くことがなかったら、好きな色について書いてください。

そう課題をだして、Bくんが提出した作品がこれでした。

あまりにも直球。

いったい、どんな言葉をかけたらいいのか、ととまどっていると、
受講生が二人、ハイッと手を挙げました。

「ぼくは、Bくんの好きな色を、一つだけじゃなくて二つ聞けてよかったです」

「ぼくも同じです。Bくんの好きな色を、二つも教えてもらって、うれしかったです」

それを聞いて、思わず熱いものがこみあげてきました。

世間のどんな大人が、どんな先生が、
こんなやさしい言葉を、Bくんにかけてあげることができるでしょうか。

「Bくんは、ほんま赤と青が好きなんやなあって、よく伝わってきました」

仲間の言葉のすべてが、Bくんへの大きな励ましです。

普段、あまり表情のないBくんの顔がふわっとほころび、笑顔が咲きました。

こんなやさしい、こんな素朴な子たちが、どんな罪を犯したのだろう。

なぜ、犯罪者になったのだろう。そう思わずにはいられませんでした。

黒

ぼくは　黒が好きです
男っぽくて　カッコイイ色だと思います
黒は　ふしぎな色です
人に見つからない色
目に見えない　闇《やみ》の色です
少し　さみしい色だな　と思いました
だけど
星空の黒はきれいで　さみしくない色です

詩の教室の受講生の多くは、世間から落ちこぼれてしまった子。
なかには、家庭で育児放棄され、
学校でも先生から相手にしてもらえなかった者もいます。
食べるものも与えられず、緊急避難的に万引きなどをして、
それが常習化して刑務所に、というケースも。
犯罪者の多くは、そんな社会的弱者です。

人に見つからないから心安らぐ闇の色。
でも、それはさみしい色。
けれども、無限の星空につながる美しい闇。
黒にこめられたCくんの重層的な思いが響いてきます。
決して「心の闇」のひと言で、すますことのできる世界ではありません。

ぼくのすきな色

すきな色は　白　黒　うすむらさき

たとえば　シンプルな白い車
たとえば　シブイ黒いバイク

うすむらさきで好きなのは　花
きれいだし　見ていると心がおちつくし
いやされるから　すき

車やバイク、男らしいものに惹《ひ》かれながらも、
少女のように、うすむらさきの可憐《かれん》な花を愛するDくん。
このあと、好きな色を表にして並べ、
なぜ好きなのかを記した大長編を、二編も書いてきてくれました。
青・茶・ピンク・朱色・緑・水色・黄色・オレンジ色……。
雨の色・夜景・金色・銀色・虹色《にじいろ》・ヒョウ柄……。
詩をきっかけに、Dくんの心のなかに、楽しかった思い出が次々浮かび、
それを色に託して、どんどん書いてくれたのです。
読んでいても、楽しさが絵巻物のように伝わってきました。

BUCKET

夏の防波堤

夕方　紺色に光る海の中で
大きい魚が小魚を追いかけているところを
見ました
鰯《いわし》の群れが海の表面をパチパチと
音を立てて逃げていきました

Eくんは、すらりと背の高い、きれいな顔立ちの青年です。

けれど、初めて教室に来たときは、怯《おび》えきった子猫か子犬のようでした。おかあさんのスカートの後ろに隠れる幼い子どものように、教官のそばにぴったりとついて、一つ答えるにも、教官に「こう言ってもいいですか？」と何度も何度も確かめ、「いいんだよ、きみの思ったように言ってごらん」とさんざん励まされて、やっと消えいるような小さな声で、自信なさげに話すのです。

それが、ある日、彼が釣りが好きで、魚に詳しいとわかりました。魚のことなら、Eくんも言葉が出やすいのです。

教室では、魚や釣りのことならEくんに聞けばいい、ということに。Eくんは自信をつけて、やがて自ら立ちあがって黒板に行き、図を描いてみんなに説明できるほどになりました。

あの、怯えて口もきけなかったEくんとは思えないほど、堂々としています。この詩は、海の魚のようすを、実によく観察しています。

Eくんでなければ、書けない詩です。

得意なことが一つあればいい。ほめてもらえれば、自信が持てる。その小さな自信が、大きな世界への扉になります。

ゆめ

ぼくのゆめは…………

こんな作品、見たことがありません。
「詩」の概念に、揺さぶりをかけられたような気がしました。
「ゆめは……」といったまま絶句してしまった彼の心。
表現していないことで、こちらにより強く問いかけてきます。

作者のFくんは重い罪を犯して、長い懲役で服役中。
この詩を書いて、教室で朗読をすると、
どうしても書けなかった「……」の部分を、自ら語りだしました。
「ぼく、競艇の選手になりたいんです。
小さいころ、よくおとうさんに連れて行ってもらって、好きになりました。
試験も受けたんですが、落ちてしまいました。出所したら、また受けたいです」
世間の風は冷たく、差別もあり、悪い仲間もいます。
どんな未来が、Fくんを待ちうけているのでしょう。
あたたかく受けいれる社会であってほしいと、心から願います。

夢と希望と挫折《ざせつ》

生きていくために　夢を見る
どんなに小さくても
夢は　希望を与えてくれる

ただ
覚えておかなければならないことは
夢は　大きければ大きいほど

叶《かな》わなかった時
大きな挫折をするということ

大切なのは
希望も挫折も　受けいれること
それこそが　生きる意味
それこそが　ぼくのスタートライン

朝だ　仕事だ

朝だ　仕事だ　体操だ
注意一秒　ケガ一生
自分の身体は　自分で守る
暑さに負けず
風にも負けず
怒られ落ちこむ気持ちに負けず
一生懸命頑張れば

いつの日か　働く喜びわいてきて
最後は　みんなで大儲《おおもう》け
そんなことが　できるかな
いつか　夢を叶《かな》えたい

刑務所では、受刑者の誰もが、規則正しい生活をします。そんななかで、はじめて基本的な生活習慣を身につけ、それまでの自分を振りかえることができるようになります。メリハリのある日々が生活に張りを与え、Ｇくんのように、前向きになって、明るい夢さえ見られるようになるのです。Ｇくんは刑期を終え、張りきって門の外へ出ていきました。

ソフトボール大会

毎日毎日　食事の後
ソフトボール大会の応援の練習をしていたり
運動時間をつぶして応援の練習をするのが嫌で
ソフトボール大会が負ければ
「もう応援の練習をしなくていい」と思いました

ゆっくり過ごしたい食後の時間。
けれど、刑務所ではそうはいきません。
すべてはきっちり分単位で進みます。
大会に負ければ、昼休みに応援の練習をしなくていいのに！
口に出せば大目玉を食らいそうなそんな気持ちも
詩に託して、表現することができました。
その直球の素直さが大受けし、みんなの人気を集めた作品です。

声に出してみんなで何度も読んでいるうちに、
だんだん声が大きくなり、読み終えたときには、
みんな、すっきりした顔になっていました。

衛生夫

自分がなるまでは……
衛生夫って　ウロウロできてエエなあ～
衛生夫って　堂々と喋《しゃべ》ってても何も言われへんしエエなあ～
でも実際は……
オヤジとの距離が近くなるからエエかなと
思ったけど怒られてばっかしやし
何でもかんでも衛生夫に言ったらエエわみたいな奴《やつ》もいるし

衛生夫は子守り係とちゃうねん
せやけど……
みんなの名前と称呼《しょうこ》番号を暗記した時
よう解《わか》らんけど嬉《うれ》しなった

「衛生夫」の正式名称は「衛生係」。
職業訓練のための工場や寮舎の雑用係で、
あとかたづけから、洗濯まで、なんでもしなければなりません。
「オヤジ」と呼びならわされる刑務官と受刑者の間に立って
結構気を遣う、中間職のような仕事でもあります。

この詩は、その衛生夫になったHくんの、ボヤきに近い本音。
衛生係は、一人一人についた番号も覚えなければなりません。
一人につき、二桁《けた》の工場番号と三~四桁の称呼番号、合計五~六桁の数字。
それを、一つの工場で働く約五十人分、暗記します。
「すごいなぁ、Hくん、それをみんな覚えたなんて。わたしには無理!」
と感嘆すると「ぼくも覚えてます」「ぼくも衛生夫なので暗誦《あんしょう》できます」
と、ほこらしげな声があがりました。
ひとつの達成感が、その子の背筋をピンと伸ばし、
人生を明るい方へと導いてくれます。

好きな仕事

自分の好きな仕事は　工場などの屋根を作る板金工です
好きな所は　鉄骨の上を歩くスリルや
競争をして　楽しくできるところです
でも　真夏の屋根の上は暑く
雨が降った時の雷は　こわかったです
外の仕事は　雨が降ると中止になりますが
そこも好きなところです

ビニールハウス作りも　好きな仕事です
畑の中なので　雨が降った後は　歩くのが大変ですが
一つの場所が　大きくても二日だけで終わっていたので
色々なところに行き　色々な人に会えました
話をしながら仕事ができて　人数が少ないのがよかったです

日本の大学進学率は五十パーセント。
大学へ行かなければ、落ちこぼれのように扱われることもしばしばです。
しかし、大卒でも好きな仕事につけるわけではありません。
それぞれが、好きな仕事でイキイキできれば、
それに越したことはないではありませんか。
3Kと呼ばれるような仕事は、
実は誰にでもできるものではなく、
知恵と力と熟練が必要なことも、たくさんあるのです。
もっともっと、敬意を払われていい仕事です。
みんなが、誇りを持って仕事ができる世の中になりますように！

青バッジ

きょうの空は　一面のあでやかな青
この空を見てみんなは
何を思い
何をするのだろう
ぼく自身は　今日の空のように
バッジの色は青
いつまでも青バッジでいられたら

気分は青空

受刑者の胸には、バッジがついています。
生活態度次第で、黒、赤、青、黄色、白、と格があがっていきます。
上に行けば行くほど、刑務所内での自由度があがります。
この日、Iくんは、赤からやっと青になることができました。
Iくんは、それがうれしくてたまりません。
でも、口論などの問題行動を起こすと、すぐに格下げ。
いつまでも青バッジでいられたら、という願いは、
ケンカをしたくても、ぐっと我慢をする助けになります。
Iくん、がんばれ。つぎは黄色だよ。

第二寮
消火器

第四寮
第三寮

言い訳にするな

あの日　あの一歩を　踏みださなかったことを
いまをがんばらない言い訳にするな　オレ
これからは
いまを生きていく自分でありたい

「無理すんなよ」と教官に声をかけられ、
少年は、はずかしそうにうつむきました。
格言や標語のような立派なことばかり書いてくる子に限って、
肩に力が入り、表情も硬く、のびやかさがありません。
完全主義者であるがゆえに、不完全な自分に我慢できなくて、
バランスを崩し、犯罪に至るケースも。
もっと楽にしていいんだよ。
自分の弱さを認められたら、きっと人生はもっと楽になる。

強がり

わたしは時に　強がって生きてしまう
本当は　ものすごく辛《つら》くて苦しいのに……
本当は　周りの人たちに甘えたいのに……
だけど何より一番怖いのは　周りの人たちに流されて
自分自身を追い込んでしまうこと
そして悲しいのは　後戻りできなくなるということ
だから　そうなる前に
自分自身の弱さを認めて生きて行きたい

生きる

苦しいこと
楽しいこと
悲しいこと
生きること
生きることは　活《い》きること

言葉

言葉は　人と人をつなぐ
ひと言だけで　明るくなり
ひと言だけで　暗くなる
言葉は魔法
正しく使えば
たがいに楽しいし　気持ちがいいけど
間違えば

自分も相手も傷ついて　悲しくなる
言葉はむずかしい
けれど　毎日使うもの
大切に使って
言葉ともっと　なかよくなりたい

母のないさみしさを友の前で語ってから、彼は変わりました。言葉となかよくなれれば、自分を開放し、人ともなかよくなれます。世間とも、うまくやっていけるはず。きみの思い、ちゃんと伝わってるよ！　言葉で。

時間

時計を見ていると　いつも思う
時間　経《た》たないなあ　と
でも　集中している時は　時間は早く経つ
逆に　集中力がないと　時間は遅く経つ
慌《あわ》ててはいけない時に限って
時計を見るたびに何か
早く早くと急《せ》かされているようで　あわててしまう

そんな時間も　上手《うま》く使えば
きっと　自分の味方になってくれる

受刑者にとって、時間には特別な意味があります。
誰もが、一日千秋の思いで、出所の日を待っています。
けれど、刑務所に来たということは、
実は再教育の機会を得られた、ということでもあるのです。
出所までの時間は、ただの待ち時間ではありません。
深く反省し、更生のための教育を受ける貴重な時間なのです。

暑い

今年の夏は　とくに暑い
なぜ　こんなに暑いのだろう
テレビや新聞などでは「地球温暖化」というけれど
その原因は
みんな　一人一人なんだよね

奈良少年刑務所の建物は、明治四十一年に完成した煉瓦《れんが》造《づく》りの建物。
「明治五大監獄」の一つで、政府の威信をかけた壮麗な建築物です。
五大監獄のなかで唯一《ゆいいつ》現役で残った貴重なものでもあります。
煉瓦は、すべて当時の受刑者たちの手作り。
その味のある煉瓦の風情《ふぜい》は、それはそれは美しいものですが、
夏は熱を持って夜も赤外線を放射し、オーブンさながら。
冬は冬で底冷えします。
寮舎には冷暖房もなく、刑務所暮らしは楽ではありません。
そんななか、Jくんの思いは地球温暖化にまで広がっていきました。
世間から隔絶されていても、世界情勢に関心を持ち、
自分自身の問題として捉《とら》えているJくんです。

奈良少年刑務所

消えた赤い糸

自分と彼女と　赤い糸で結ばれていたのに
彼女は　自殺してしまった
何のために？　なぜ？
彼女が嫌いだ
でも
いまでも好き
赤い糸は　どこへ行ってしまったのか？

消えたのか？
切れたのか？

この詩を読んだときは、あまりのことに、息が詰まりました。
すべてを言葉通りに受けとめて、よくよく話を聞いてみると、
「あれ、これには少し空想も混じっているのかな」と感じました。
彼の心には、どうしてもこう表現しなければならない
必然があったのでしょう。
その背後には、複雑できびしい家庭環境がありました。
その途方もない重さを思うと、ため息が出ます。
彼の未来に幸あれ、と願わずにはいられません。

生きること

生まれるためには
自分の両親
それまでの先祖
色々な人たちの命
無ければ
自分という人間は　いなかった
感謝して　一生懸命生きなければいけない

そして……
幸せになりたい

犯罪者なのに「幸せになりたい」とはなんだ！
と思われる方もいるでしょう。
幸せになりたい、と控えめな小さな文字で書かれていたこの詩。
ほんとうは誰もが幸せになるために生まれてきたはずです。
自分の命の大切さに気づいてこそ、人の命を大事にできるのです。

妄想

頭のなかで　物語を考える
一人　黙々とつぶやく

物語は　できるけど　いっつも
いい結果にならず　途中で諦《あきら》める
そして　また妄想の世界へ
考えすぎて　たまーに被害妄想

……なんだかなあ
妄想は楽しいけれど　少しむなしい
ほどほどにしなければ
本当の世界との区別がつかなくなりそうで　怖い

薬物依存があったというKくんは、この教室に来るようになってから自分の「妄想」や「空想」をノートに書きつけるようになりました。取りだして客観視することで、心のコントロールも利《き》くようになり、背筋も伸びて、ずいぶん雰囲気が変わりました。いまでは、彼に人生相談を持ちかける人もいるほど。人にアドヴァイスできるほどに、大きく成長しています。

ありがとう

ありがとう　ありがとう
命をくれて　ほんとうに　ありがとう
長い人生　歩み　生き抜くなか
苦しいことも　つらいこともあります
命絶つのは　簡単だけど
一番　最低なこと
どんなに辛《つら》くても　逃げださずに

前を向いて　歩きたい

だから
見守っていてください　遠い空から
必ず　必ず更生してみせるから

この命尽きるまで
ぼくは　あなたたちの子どもだから

まほうの消しゴム

なんでもかんでも　消せる消しゴム
いやなことや
いろんな人に迷惑かけたこと
こんな自分を　消せる消しゴム
そんな消しゴムが　あったらいいな

あるわけないだろう！　と言いたくなりましたが、
Lくんだって、そんなことわかっているはずです。
被害者や被害者の家族、自分の家族まで傷つけたということ。
消すことのできない過去を背負って生きていくのだと思うからこそ、
祈りのような思いでつぶやいた言葉。
その重さが、ずっしりと伝わってきました。

つぐない

つぐない

きびしい刑務所生活
いつもかんがえる
被害者の心のキズ

つぐない

つぐないきれない
あやまち
もう二度と

つぐない

犯した事件
生きているまで
つぐないつづける

恥《はじ》曝《さら》しの末路

ぼくは風船人間
今現在　気体を注入されて　膨らんでいます
けれども　その気体は水素なんて　立派なものではなく
憂鬱《ゆううつ》　倦怠《けんたい》　厭世観《えんせいかん》　るさんちまん　といった
有害物質を数多く含んだものです
注入が終われば　やがて空へと飛んでいき
黒い烏《からす》の嘴《くちばし》かなにかで突っつき破られるでしょう

風船人間が始末に負えないのは
破られた後も周囲の空気を汚染し続けて
その存在がなかなか失われないところにあります

Mくんは、子どものころから情緒が希薄で、
共感能力に欠ける面がありました。
しかし、哲学書を読みあさるような子だったのです。
それだけに、大きな「期待」を注入されてきたのかもしれません。
このプログラムに参加するようになったある日、
自由時間にみんなとテレビを見ていたMくんは、ふと、

「殺される側の恐怖を、はじめて感じた」といいだしました。

彼のなかで、何かが目覚めたのかもしれません。

そこから、ほんとうの償いがはじまるのでしょう。

しかし、目覚め、自分のしたことに直面することで、罪の大きさにおののき、心が壊れてしまうこともあるそうです。

教官は、そんなことも理解して、常に注意深く対応しています。

メール

メールが来ると　テンションが上がる
いつも誰かと　いっしょにいる気分になる
「いま　何してる?」
これだけの文を　ふつうに手紙で送ったら
アホか　と思われるけど
メールだと送れる
不思議やなあ〜

自分の想《おも》っていることを　楽に伝えることもできるし
逆に　相手のことを　知ることもできる

でも　こういうのがくるとヘコむ
「もう　わたしに連絡しないで」

携帯電話は、コミュニケーションの形だけでなく、その質さえ変じてしまいました。簡単に心を伝えることができると同時に、いとも簡単に関係を切り捨てることもできます。深い人間関係を築いてこなかった子どもたちは、脆《もろ》くて弱い存在。人から嫌われることを、いつも怖《おそ》れているのかもしれません。

今感じること

この平和な日本で　危険なドラッグに手を出したり
マンネリなクラブの　マンネリな音で
首をふり踊り　ドロップアウトしたり　むやみに女を追いかけたり
暗い部屋で　パソコンやゲームに狂い
危険なスマートドラッグや　薬には手を出すくせに
世界を一人で旅することが出来ない　ジャンキー
何年経《た》っても同じ会話　同じ言動の　ただのジャンキー

このままじゃヤバイ

せまい日本の　せまい刑務所の　せまい独居や雑居にいて
心がせまくなっている気がする毎日

けれど
そんな毎日の中にも幸せはある
平凡な日常の中にある幸せ
空が最高に青い　くだらない話での笑い
朝の光　家族の優しさ
何でもない小さなことが幸せだと　感じ取れている幸せ

今が　自分の進む時
ネガティブでぶっ飛んだ生活に　逆戻りしないように
今感じていることは本物
ナチュラルハイで感じる　一瞬の中にある永遠

あたりまえ

食べられる
眠れる
歩ける
朝を迎えられる
母がいる
みんな　あたりまえのこと

あたりまえのことは
あたりまえじゃないんだと

あたりまえのなかのしあわせに気づかずに
薬を使って偽物《にせもの》のしあわせを求めたぼくは
いまやっと　気がついた

あたりまえの　しあわせ
あたりまえが　しあわせ

刑務所には、薬物依存症の経験のある者が多くいます。

ある少年は、十三歳で薬物を、またある者は十五歳で覚醒剤《かくせいざい》をはじめた、というので、驚いてしまいました。

中学生が、どうやってそんなものを手に入れたのでしょう。

責任は、彼らだけにあるのではありません。

そんな社会を作ってしまった、わたしたちにもあるのです。

「偽物のしあわせ」と「偽物の快楽」に満ちあふれた現代、わたしたちは「あたりまえのしあわせ」を、どこかに置き忘れてきてしまったのかもしれません。


「薬物をやっているときだけ、自分が自分らしくいられた。ばらばらになった自分が、ひとまとまりになっていると感じられた」

「今感じること」を書いてくれたNくんは、そう語ってくれました。

学校や家庭でのつらいことを忘れるために、薬物に手を出したそうです。

「でも、そのうちに何がなんだか、わからなくなってしもて」

薬物に心も体もむしばまれてしまったNくんにとって、

刑務所に入ったのは一つの救い。
薬物を断ち、立ち直るきっかけを与えてもらったと感じています。

「ほんとうのしあわせ」に気づいたというNくん。
失って、はじめて知る「あたりまえのしあわせ」。
それに気づくことが、更生への第一歩です。

薬物との戦いは、一生の戦い。
世間は、刑務所のなかのようにクリーンではありません。
あらゆる誘惑が待ち受けています。
その一方で、薬物から立ち直るための互助組織も
全国で、活発な活動を展開しています。
一人で戦わなくても、仲間を求め、ともに戦うこともできるのです。
出所後も、どうか、がんばってほしい。

青いイルカの物語

青色のイルカは　小魚をおいかけて　浅瀬にきました
子どもが　イルカを見ていました
イルカは　子どもを気にしながら泳ぎました
イルカは　子どもが体をうまく動かすことができないことに気づきました
イルカは　子どもと長いこと目を合わせつづけました
イルカは　子どもの思いをかんじました
それは一度でいいから　イルカといっしょに泳ぐことでした
けれども　イルカは　泳ぎ去ってしまいました

そして　広い海へといってしまったのです
それでも　子どもの心は　イルカに届きました
イルカは　決めました
子どもといっしょに泳ぐことに　決めたのです
イルカは浅瀬にもどり　子どもを背中にのせました
イルカは子どもと　海へと泳いでいきました
子どもは　いままで出したことのない笑顔を出しました

なんかげつかごに　イルカはてんごくへとたびだちました
青色のイルカは　子どもと泳いだ夢を見ながら
てんごくを泳いでいます

雨と青空

ざんざんぶりの雨のなか
水玉のカサをさして
花柄のスカートが少し濡《ぬ》れて
かわいくって　恋におちました

窓から見える　青い空
ぼくの好きな人も　見ているかな

「犯罪者」と聞くと、一体どんな凶暴な人だろう、
どんな恐ろしい怪物だろう、と思ってしまいがちです。
けれど、一人一人と会ってみれば、
どうしてこの人が、と思うような者ばかり。
イルカと子どもに託して、ちょっと悲しい童話を夢見たり、
ういういしい恋をしたり。
何がこの子を追いつめたんだろう、
どうして犯罪を犯してしまったんだろう、と思わずにはいられません。

お母さん

母のやさしさ　うれしかったあの日
いつも　やさしい母
そんな母も　もうおばあさん
小さなおばあさん
母のぬくもり　いつまでも

バカ息子からおかんへ

恩返しなんて　おれにはできひん
もらったもんが　大きすぎるから
恩返しなんて　おれにはできひん
でも
悲しませることは　もうせえへん
もうせえへんよ　おかん

誕生日

小さいころは　いつも手を引いてもらったのに
いつのまにか　その手を拒み　避けてきた
「産んでくれなんて　頼んでない」
勢い余って　そう言ったとき　泣き崩れた母
きょうは　わたしの誕生日

それは　あなたが母になった誕生日

産んでくれなんて　頼まなかった
わたしが自分で
あなたを親に選んで　生まれてきたんだよね

おかあさん　産んでくれてありがとう

もうしません

何度　おかんを裏切ったか　わからん
「もうしません」っていうたんびに
おかんは　おれを信じてくれた
それでも　おれは　裏切りつづけた
そのたんびに　許してもらった
母親だから　許すのがあたりまえ
子どもだから　許されてあたりまえ

そう思ってきたけど

ちがうんやな

おかんはおれのこと　ほんまに愛してくれるから
いつかはおれが　自分のまちがいに
きっと気づくはずだと信じてくれているから
辛抱強く待っていてくれるんやな

おかんは　偉大や
おれ　がんばるで

ごめんなさい

あなたを裏切って　泣かせてしまったのに
あなたは　ぼくに謝った
アクリル板ごしに　ごめんね　と
悪いのは　このぼくなのに

あの日の　泣き顔が忘れられない
ごめんなさい　かあさん

待ってくれる人がいる、というのは、何よりもの励みになります。

しかし、問題のある家族から問題行動が生まれた、というケースも多く、出所後待ちうける家庭環境は、必ずしも理想的なものではありません。

それでも、入所をきっかけに家族がそれに気づき、学んで、反省し、関係を再構築していくことも多いのです。

奈良少年刑務所では「保護者会」を実施しています。

罪を犯した子どもにどう対処したらいいのか、家族の多くは、途方に暮れています。

教官は、そんな家族の相談に乗ったり、指導をしたり、なかなか本音で話せない受刑者と家族の橋渡しをしたり、家族ぐるみで更生に取り組めるよう、環境作りをしています。

いつからだろう

いつからだろう
いっしょに歩くのが恥ずかしくなったのは
いつからだろう
距離をおくようになったのは
いつからだろう

話をしなくなったのは
いつからだろう
顔を合わせなくなったのは
いつからだろう
「ただいま」と言わなくなったのは
いつだって
笑顔を向けてくれた母さんなのに

妻

面会で妻の小言にあんどする
物言えずうなずくだけの十五分

母

よく笑う母が心の救いです

母の日に一度はしたい肩たたき

体が大きなOくんは、話すのが苦手。
それをカバーするように、いつも威圧的な態度で通してきました。
けれど、それでは通用しなかったから、刑務所に来てしまった。
そんなOくんのなかに、こんな言葉の結晶があったとは！
みんなもびっくりして、ほめちぎりました。
すると、Oくん、いままで足を開き、ふんぞり返っていたのが、
姿勢がよくなって、やがて前のめりに体を乗りだし、
みんなの言葉に耳を傾けるようになったのです。
評価されること、共感してもらえること。
それは、人間にとって、とても大切なことなのだと感じました。

おかあさん？

あ　だれかくる
おんなのひとだ！
だれかの　おかあさんかな？
もしかして……ぼくのおかあさん？

きれいなひとだなぁ
ぼくのおかあさんも　きれいかな

しごとは　なにをしているのかな
やさしくて　ふわふわなのかな

どんなこえかな
ぼくに　にてるのかな

でも……

どんなかおしてても
ふとってても
いじわるでも
はたらいてなくても

ゴッゴッしていても
おとこみたいなこえでも
おかあさんは　おかあさん

いちどでいいから
かおをみせてよ　おかあさん
だきしめてよ　おかあさん
いちどでいいから
ぼくのなまえを　よんでよ　おかあさん

そしたら
ぼくから　つたえたいことがあるんだ

「うんでくれて　ありがとう」

誓い

幼い頃　ぼくは心に誓った
母さんを守ろうと
いろんな人たちから
とくに父さんから

小さなぼくは　父さんに向かっていった
その攻撃の矛先を　ぼくに向けたくて

けれども　どうすることもできず
殴られる母さんの体の下　ぼくは泣いた
なにもできない自分が悔しくて

母さんは　殴られても殴られても　じっと耐え
涙もみせず　やさしい声で　ぼくに言った
「だいじょうぶ　すぐに恐くなくなるからね」

いつか強くなって　ぼくが母さんを守るんだ
って思ったのに　ごめん　遅すぎたね
母さんは　天国へ逝《い》ってしまった

やっと　強くなれたよ
だから　この力で守っていくよ
これからは　ぼくの大切な人たちを

犯罪者のなかには、
ドメスティック・ヴァイオレンスにさらされ、
虐待《ぎゃくたい》されたという生育歴のある者が、多くいます。
自分は、絶対にそんなふうにはならない、と思いつつ、
悲しい連鎖をして、暴力をふるってしまうことも多いのです。
奈良少年刑務所では、暴力で犯罪を起こしてしまった者に対して
「暴力回避プログラム」を実施しています。
これは、アンガー・マネージメントという
最新の心理療法を取りいれたもの。
トラブルが起きたり、強い怒りを感じたとき、
自分も相手も傷つくことなく、穏便に解決するには
どうしたらいいか。
その方法を、みんなでともに学んでいきます。

一直線

子どもが　走っていく
一直線に　母親の胸に飛びこんでいく

ぼくにも　あんな日があった
仕事で　迎えが遅くなるあなたを
不安な気持ちで待っていた
あなたはいつも満面の笑みで現れて

ぼくは　ほっとして泣いてしまう
涙でぐしゃぐしゃの頬を　あなたの両掌《りょうて》で包まれ
ぼくは　やっと笑顔になる
自転車の後ろに乗って
あなたの背中にしがみつく帰り道
風に切れ切れのあなたの声を
ぼくは小さな耳で懸命に拾い
大きな背中に投げかえした
前が見えなくても　すこしも恐くなかった
あなたと　いっしょだったから

いつからだろう

あなたに　うまく伝えられなくなったのは
最近　あなたと話したのは　いつだっただろう
なんでもいい　あなたと話したい
子どものころのように　一直線に走っていきたい

いつも　いつでも　やさしくて

ぼくが泣いて帰ってきたときも
怪我《けが》をして帰ってきたときも
いつも　いつでも　やさしくて
ぼくが初めてウルセーって言ったときも
初めて学校で問題を起こしたときも

いつも　いつでも　やさしくて
ぼくが落ちこんでいるときも
反抗したときも
いつも　いつでも　やさしくて

そんなやさしい母さんだから
ぼくもやさしくしようっていう気持ちになる
でも　ぼくのなかには「俺《おれ》」がいて

そんな「俺」は時々
なにかに当たりちらして
ブツかって生きたかったんだ
でも

あなたは　いつも　いつでも　やさしくて

だから本気で　ブツかれなくて
だから本気で　わがまま言えなくて
だから本気で　さびしくて

やさしさで包んでくれる母の愛

ぼくはしあわせだけど
その「愛」が「やさしさ」が
ぼくのなかの「俺」を不自由にする

「俺」を母さんのまえで自由にして
本気で手足をバタバタさせたい
いつも　いつでも

でも　少しも母さんに迷惑かけたくないんだ
そう　そのやさしさの前では

いつも　いつでも　やさしくて

やさしさが、真綿のように人の心を
締めつけることがあります。
何が、ほんとうのやさしさなのか。
自分に問い直し、相手を見つめることの大切さを、
この詩は気づかせてくれます。
刑務所の矯正展《きょうせいてん》の展示で、多くの参観者の注目を集めた詩でした。

おかん

水が恐くて怯《おび》えて見あげるおれに
おかんはゲンコを見せた
おれは足下でゆらぐ水よりも
おかんの心が恐かった

それが愛情のつもりか
強くするために

あえて子どもを突き放すこと
それが正しい愛情のつもりか

ほめられることもなく
社会からはずれているとなじられ
人格も否定され
「育ち方が悪い」と叱《しか》られた

反抗しつつも
取り繕う日々の中で
いつしか　おれは
愛されてないんやわ

と思たわ

せやのに　おれがパクられて
あんたは　泣きながら　おめおめといった
「あたしの育て方が　悪かったんやろか」
「おれの育ち方が　悪かっただけやろ」

それでも　おかんが笑《わ》ろてると
おれもうれしくなる
あんだけ大嫌いやったはずなのに

人を愛することと　憎むことと

はじめて教えてくれた人

まるでペン習字のお手本のようなきれいな文字が、
背景を示唆《しさ》していました。
甘やかしすぎるのも考えものですが、
なんでもきびしくすればいい、というものでもありません。
小さな子どもにとっては、母親が世界そのもの。
何気なく口にした否定の言葉も、思いがけないほど深い傷となり、
心は、いつまでも血を流しつづけます。
大人になっても、自分を肯定できずに、
生涯苦しみつづけることさえあるのです。
やさしさときびしさのなかにある、ほんとうの愛とは？

期待

ぼくは小さな頃から　母に
食事の仕方
テレビの見方
寝る時間
朝起きる時間
勉強の仕方など
すべてにわたって

いろいろ厳しくしつけられてきました

いま思えば　ぼくの未来を思ってしてくれたことですが
その頃は「ぼくのことキライなんやなあ」と思いました

「亡《な》くなってしまった兄ちゃん姉ちゃんの分
あんたにしっかりしてもらいたくて
厳しくしたんやで」と母はいいます

母の期待を裏切らないようにしないと駄目だ
と思いながら必死で生きています

母のような気持ちが持てる親になりたいと
心の底から強く思いました

期待されてうれしいこともあれば、重荷になることも。
まして、亡くなった兄や姉を投影されたら、
どれだけ苦しいことでしょうか。
愛されているのは、自分ではない、と感じても仕方ありません。
親も、悪気があって、そうしているわけではないのが悲劇。
「ぼくはぼく。兄さんでも姉さんでもない」って
大声で叫べればよかったのに、まだ言えないPくんに、胸が痛みます。
そこにいる、その人自身を見つめること。
それが「ほんとうの愛」の第一歩ではないでしょうか。

拝啓オカンへ

拝啓オカン
まともに向きあって　腹割って話したこと
正直　あんま　なかったな
きょうは　マジで　話したいんや
ハズいけど　きいてくれ

拝啓オカンへ　ホンマごめんな　ありがとう

いままで何度　迷惑かけたか　わからんのに
あなたは　やさしく包んでくれた

おれがまだ　ガキだったころ
あなたを置いて　親父《おやじ》は出てったよね
泣きくずれる　あなたの姿
ほんま　メッチャ心配したんやで

あん時から　おれの家は裕福じゃなくて
ツレのおもちゃをせびっては　泣いたよな
そんなおれを見て
「ごめん」と悲しそうな顔をしてた　あなた

おれは「強さ」の意味をはきちがえ
夜中まで街をうろついたよね

あなたは黙って　おれの帰りを待っててくれた

拝啓オカンへ　ホンマごめんな　ありがとう
いままで何度　迷惑かけたか　わからんのに
あなたは　やさしく包んでくれた

拝啓オカンへ　ホンマごめんな　ありがとう
おれ　あなたの子どもでよかった

空白

離婚　親が勝手に決める人生
ぼくらを置いて家を出るとき
母は　どんな気持ちだったのか
さみしかったのか　悲しかったのか
それとも　肩の荷をおろして　楽になったのか

母が　家を出て三ヶ月後

父が　事故で亡《な》くなった
兄弟三人とおばあちゃんとの暮らし

弁当は　自分で作る
だから　開けても楽しみがない
「おかん　またきゅうり入れとるわ」
そんなこと　いっぺん言ってみたかった

夜遅く帰ってきても
友だちを呼んでも　怒る人もいない
楽だと思ったけど　ほんとはしんどかった

二十歳の時　母から連絡があった
母は　旅館で働いていた
十年ぶりに　会うことになった
どんな顔しよ　なにしゃべろ
でも　会ったらふしぎと言葉も出て
いつのまにか　笑顔で話していた

いっしょに住むことになって
母は　仕事に行くぼくに　弁当を作ってくれた
通勤途中で　そっと開けてみたら
たまご焼き　唐揚げ　ウインナ
ぼくの好きなものばかり

離れていても　知っててくれたんや
子どもの好きなもん

これから毎日　十年分の空白を
弁当箱に詰めていきます

クリスマス・プレゼント

五十二人の仲間のクリスマス
ごちそうを食べて　ケーキも食べて
ゲームをやって　思いっきり笑って
プレゼントだって　もらえるんだ
寝ているあいだに　だれかが
こっそり枕元《まくらもと》に置いていってくれるんだよ
それが　サンタさんなのか　学園の先生なのか

ぼくは　よく知らないけれどね
でも　ほんとうにほしいものは
ごめんね　これじゃない　ちがうんだ

サンタさん　お願い
ふとっちょで怒りん坊の
へんちくりんなママでいいから
ぼくにちょうだい
世界のどっかに　きっとそんなママが
余っているでしょう
そのママを　ぼくにちょうだい

そしたら　ぼく　うんと大事にするよ

ママがいたら　きっと
笑ったあとに　さみしくならないですむと思うんだ

ぼくのほんとうのママも
きっと　どこかで　さびしがってるんだろうな
「しゃかい」ってやつに　いじめられて　たいへんで
ぼくに会いにくることも　できないでいるんだろうな

サンタさん
ぼくは　余った子どもなんだ

どこかに　さみしいママがいたら
ぼくがプレゼントになるから　連れていってよ

これからはケンカもしない　ウソもつかない
いい子にするからさぁ！

一恵

母の一恵は　太郎が三歳の時に　家を出た
物心着いたときに　母はもういなかったから
母がいないということを　太郎は気にしたことなどなかった
気にしていたのは　むしろ父だ
「母親などいなくても」というのが　父親の口癖だった
十歳のとき　太郎は小学校で問題を起こした

職員室に呼ばれていくと　教師は開口一番こういった
「きみには　母親がいないからねぇ」

いないから　なんだというのだ
いないから　自分はこんなにもイライラするのか
いないから　物にあたるのか　人にあたるのか
考えれば　また腹が立ってくる
そのへんにあるものを　片っぱしから投げつけた
職員室に呼ばれた父は　ひたすら謝っていた
「すいません　母親がいませんので」と
「母親などいなくても」と言ってたくせに

十三歳のとき　一恵からいきなり電話があった
「会いたい」と言われた
どうでもいいと思ったが
太郎はとりあえず「会う」と答えた
待ち合わせの駅前
「太郎ちゃんよね」と声をかけられた
母というものは　十年間会っていなくても
子どもの顔が　すぐにわかるらしい
うん　とうなずくと　母は泣き崩れた
「ごめんね」と何度もくりかえす

太郎は　どうしていいか　わからなかった

泣きやまぬ母を見て
置いていかれるより　置いていく方がつらいのかな
と思ったりした

「いいんだよ　気にしてないよ　かあさん」
口に出して　そう言ったとたん　太郎は気づいた
いままで　自分が母を許していなかったことに
そして　いま　許そうとしていることに

一恵は　ずっと泣いていた
太郎は　いままでにないスガスガしい気持ちで言った
「会ってくれてありがとう」と

二倍のありがとう

ぼくが女の子を泣かした時　ゲンコをくれた　お父さん
山に連れてって　クワガタとらしてくれた　お父さん
夏には　プールで鬼ごっこしてくれた　お父さん
ぼくのピッチング練習につきあってくれて
「手が痛いくらい強い球や」とほめてくれた　お父さん
ぼくが苦手な図画の宿題を
仕事でへとへとなのに　手伝ってくれた　お父さん

「運動会には出たくない」っていってたのに
二人三脚してくれた　お父さん
父兄参観日には　仕事を休んで
いちばんに来てくれた　お父さん

いつも一人で二役をして　しんどいはずなのに
絶えず笑顔でいてくれる　あなた

お父さんがいなくても　さみしくなかった
お母さん　あなたがいたから　二倍のありがとう
ありがとう　お父さん役までしてくれた

ありがとう　ぼくのお母さん

ぼくのママ

たかしくんのおかあさんは　すごくお料理が上手
まさるくんのおかあさんは　いつも笑ってて楽しい
みきちゃんのおかあさんは　とってもおしゃれですてき
まことくんのおかあさんは　いつもやさしくてあったか

ぼくのおかあさんは　すごくモテるんだ
だからぼくは　いろんなパパを知ってるよ

でももう　何年もママに会えなくて
大好きなのに　会えなくて
みんなのママが　うらやましくて
ママなんか嫌いって　いつもいってたけど……

やっぱり好き　ママのこと

母の日

「最悪の母の日」と母はいった
小学生だったぼくは
まだ母の日なんて知らなかった
その日が母の日だって　知るよしもなくて
母に迷惑をかけて　怒らせてしまった

一年に一度の母の日に

「最悪の母の日」
と言わなければならなかった母は
どれだけ悲しかっただろう

その日を境に　ぼくは母の日を知った
だから　毎年プレゼントを贈る
もう二度と「最悪の母の日」と
いってほしくないから

何気ないひと言が、子どもの心を深く傷つけることがあります。
言った本人はすっかり忘れていても、
言われた方はいつまでも忘れられない。
使い方一つで祝福にもなれば、呪《のろ》いにもなる言葉。
言霊《ことだま》の宿る言葉を大切に使いたいものです。

二人のお母さん

「必ず迎えにくるから」と言われ
五歳のとき　施設に預けられた
六歳の誕生日に　お母さんからカードが届いた
七歳の誕生日も　お母さんからカードが届いた
八歳の誕生日も　お母さんからカードが届いた

「お誕生日　おめでとう」

手書きのカードが　何よりうれしかった
一年に一度の楽しみだった
十歳の誕生日　カードは届かなかった
次の年も　その次の年も
わたしはひとり　部屋で泣いた
ずっとずっと　泣いていた

すると　先生が来て
無視するわたしを　抱きしめてくれた
やさしい声で　こういってくれた
「わたしは　ここにいるよ
ずっとずっと　ここにいるよ

どこへも　行かないから
ずっとずっと　守ってあげるから
だから　泣かないで
わたしが　お母さんになってあげるから」

二十四歳になったいまでも　わたしのお母さんは二人
一人のお母さんとは　十九年　会えていないけど
お母さんは二人
いつまでも　いつまでも　二人

こんなボク

こんな未来を　ボクは望んだだろうか
こんな未来を　ボクは想像もできなかった

こんなボクの　どこを愛せるの？
なぜ　そんなにやさしい眼で見れるの？
「だいじょうぶ　まだやり直せるよ」って言えるの？
こんなボクなのに……

こんなボクなのに　ありがとう　かあさん

戦士交代

物心ついたころ　おとんはいなかった
おかんは一人で　戦ってきた
おかんは戦士　どんなことにも屈しない
でも　ぼくは知っている
おかんは　気づいてないけれど
戦士という鎧《よろい》を　着ているだけだと
おかんの鎧は　必要とされればされるほど

硬くなり　重くなる
だから　ぼくがその鎧をおろしてあげよう
こんどは　ぼくが戦士だ
おかん　もうちょっとだけ　待っててね

門を潜《くぐ》って世間に戻ったら、新たな戦いのはじまりです。「おかえり」とあたたかく受けいれる世間があってこそ、彼らの更生は果たされます。

世の中は、敵ばっかりじゃないよ。手を携えて、生きていこうね。そういえる人が、一人でも多いほど、社会の安全にもつながるのです。鎧を脱いでもやっていける世界を、ともに作っていきましょう。

あなたのこども

あ　かごの頃から風邪が友だちだったぼく
な　いてないで謝りなさいと怒られたぼく
た　いいくがあるとお腹《なか》が痛くなったぼく
の　ろまで運動会が嫌いだったぼく
こ　えが小さくて恥ずかしがり屋だったぼく
ど　うしても口応《くちごた》えしてしまったぼく
も　うおかあさんと会えなくなったぼく

あなたのこどもで　よかった

詩の力　場の力

寮美千子

受刑者に詩と童話の授業を？

「奈良少年刑務所で、受刑者相手に童話や詩を使った情操教育の授業をしたいんですが、講師をしてもらえませんか」というお話をいただいたとき、正直言って、躊躇《ちゅうちょ》した。受刑者と聞いて、即座に「凶悪」「乱暴」というイメージが浮かんだ。一体、どんな罪を犯して刑務所に入ってきたのだろう。授業なんて、成立するのだろうか。

もともと刑務所での教育に関心があったわけではない。刑務所と関わるようになったきっかけは、築百年になるという煉瓦《れんが》造りの壮麗な建物に惹《ひ》かれたことだった。矯正展という年に一度の催しがあり、その日には、刑務所の建物を見学できるというので、建物見たさで訪れたのだ。

が、そこで展示されていた、受刑者の詩や絵が、わたしの心を捕らえた。

振り返りまた振り返る遠花火
夏祭り胸の高まり懐《なつ》かしむ

哀《かな》しみを湛《たた》えた端正な句。煉瓦の一つ一つまで描かれた几帳面《きちょうめん》な絵。わたしが抱いていた「凶悪犯」のイメージとはまったく違う。こんなに生真面目《きまじめ》で繊細では、社会でやっていくのは大変だろうな、と思わず心配になってしまった。

その感想を近くにいらした刑務所の方にお話ししてみた。すると、その方は教育専門官の方で、刑務所での教育や指導について、詳しく説明してくださったのだ。

その時わたしは、こんなに真剣に他者の人生を考えている人がいるだろうか、と思った。驚くほどやさしく純粋だ。社会のほかの場面では、こんな人は見たことがない。

それから一年ほどして、急に講師のお話をいただいたのだが、ともかく、お話をよくお聞きしてから考えたいと思います、としかお答えできなかった。

刑務所に行き、その当時、教育統括だった細水令子さんのお話をお伺いした。聞けば、受講予定者には、強盗、殺人、レイプなどの重罪で刑を受けている人もいるという。怖い、と思った。ところが、よく説明を受けているうちに、やってみようか、という気持ちに変わっていったのだ。刑務所が新たに試みようとしている改善指導「社会性涵養《かんよう》プログラム」に共感したということもあるが、何より、細水統括の、受刑者たちの更生を願う深い愛情を感じたからだ。受刑者たちは、加害者であると同時に、この社会の被害者なのかもしれない、と感じだした。結局、わたしはその仕事をお受けすることにした。

「社会性涵養プログラム」とは

「社会性涵養プログラム」と名づけられたプロジェクトの対象は、刑務所のなかでも、みんなと歩調を合わせるのがむずかしく、ともすればいじめの対象にもなりかねない人々。極端に内気で自己表現が苦手だったり、動作がゆっくりだったり、虐待《ぎゃくたい》された記憶があって、心を閉ざしがちな人々だ。

「家庭では育児放棄され、まわりにお手本になる大人もなく、学校では落ちこぼれの問題児で先生からもまともに相手にしてもらえず、かといって福祉の網の目にはかからなかった。そんな、いちばん光の当たりにくいところにいた子が多いんです。ですから、情緒が耕されていない。荒れ地のままです。自分自身でも、自分の感情がわからなかったりする。でも、感情がないわけではない。感情は抑圧され、溜《た》まりに溜まり、ある日何かのきっかけで爆発する。そんなことで、結果的に不幸な犯罪となってしまったというケースもいくつもあります。先生には、童話や詩を通じて、あの子たちの情緒を耕していただきたい」とのこと。

これは大変な仕事だと思った。あらゆるセイフティー・ネットの網の目からこぼれた子たち。この教育が、最後のセイフティー・ネットなのだ。わたしでお役に立てるのだろうか。心許《こころもと》なかったが、ともかく挑戦するしかない。

このプログラムは、次の三つの要素で構成されることになった。

・SST（ソーシャル・スキル・トレーニング）
・絵画
・童話と詩

それぞれ月一回、一時間半の授業があり、月三回の授業を六ヶ月、合計十八回の授業を行う。受講生は、十人前後だ。

SSTは、心理や精神医療の専門家と刑務所の教官が講師となり、挨拶《あいさつ》の仕方、嫌なことを頼まれたときの失礼のない断り方など、基本的なコミュニケーションの方法を学ぶ教室だ。

受刑者たちは、挨拶など、誰もが当たり前にこなしている基本的なことさえ、スムーズにできないという問題を抱えていることも多い。それを解消してあげるだけで、ぐっと生きやすくなるという。

この授業のビデオ記録を見せていただいた。挨拶を学ぶ、といっても「きちんと挨拶しましょう」と叩《たた》きこまれるような、そんな授業ではない。会社に行って、先輩に、どんなタイミングでなんと言って挨拶をするか。それを、実際にやってみる。挨拶する相手も、最初は一人、次は二人、では五人では？　と増やしてみる。そして、会社の人の立場になったり、自分が挨拶をする立場になったりしてロールプレイすることで、どんな挨拶がいちばん心地いいか、みんなの力で発見していく授業なのだ。

自分たちで発見した最適の方法は、一方的に教えこまれたことと違い、自分のものとして身につく。出所後、これがどれだけ元受刑者を助けるだろうか。「きちんと挨拶のできる子ね」と思ってもらえるだけで、第一印象が違う。そこから未来への道が開かれてくる。

SSTの授業は、日本中の義務教育でするべきだ、と本気で思った。これを小学校で一回、中学校で一回するだけで、日本社会全体の雰囲気が違ってくるのではないか。みんなが心を通わせる気持ちのいい挨拶ができる社会になるのではないか。

本来ならそれは、コミュニティで教えられていくものだが、それが機能していないいまの日本では、一つの救いの道になるかもしれない。

次は「絵画」のプログラム。三原色、暖色と寒色などの、絵画の基本を学び、実際に絵を描いてみる。筆をとり無心に色を塗ったり、対象をきちんと見つめて写生することで、彼らは言葉からも日常からも解放された無心な時間を過ごすことができる。これは、美術の専門の先生がいらして、教えてくださる。

そしてもう一つが、わたしが担当する「童話と詩」の授業だ。わたしは仮にこれを「物語の教室」と名づけている。「言葉を中心とした情操教育」をしてほしいというだけで、なんの縛りもなかった。ともかく思うように進めてほしい、ということで、手探りのなかで授業を始めた。受講生の反応を見ては、次の授業を決める、という繰り返しのなかで、一つの方向性が定まってきた。

授業は全六回。最初の回では、絵本『おおかみのこがはしってきて』を教材にする。この絵本は、アイヌ民話を題材にしたもので、父と幼い息子の対話という形で話が進んでいく。子どもの質問に、父親が答えていくなかで、自然の大きな仕組みに気づいていくという物語だ。

絵本の概要を話した後、それぞれに朗読してもらう。それも、アイヌ風の上着や、アイヌ刺繡《ししゅう》のハチマキなどを用意して、父と子の姿に扮《ふん》し、みんなの前でお芝居のように演じてもらうのだ。

教官が、フェルトで父親役のヒゲを作ってきてくださったことが、功を奏した。役になることは、一種の仮面をつけること。その仮面のおかげで、普段は人前で発言するのも苦手な子も、なんとか人前で演じきることができるのである。

いかつい体の大きなレスラーのような子が「子ども役をしたい」と言ったときには、驚いた。彼は、実にかわいらしい子どもを演じてみせてくれた。

「彼は、子どもらしさを出してこられなかったんです。家庭の事情で、小さいときから、大人のふりをして生きてこなければならなかった。だから、自分のなかの子どもを解放したかったんでしょう」と教官。演じたあとの彼は、いい顔をしていた。

演じる前は、だれもが緊張しきっているが、一回演じてみんなから拍手をもらうと、それだけで様子が違ってくる。「気持ちよかった」「またやりたい」という積極的な感想が聞こえてくる。

子どものころから、教師からも見放され、授業で当てられることもなく、ただ教室の片隅にいた子どもたち。それがここではじめて「主人公」として人前に立ち、演じる。小さなことだが、その達成感が、頑《かたく》なな彼らの心をほぐすきっかけとなってくれるのだ。

二回目も絵本を読み、三回目は詩を読むことに挑戦する。金子みすゞと、まど・みちおの詩を教材にさせていただいた。「教える」のではなくて、声に出して読み、一人一人の感想を聞いていく。回を重ねるほどに、表現がのびのびとしてくる。

そして、いよいよ彼ら自身に詩を書いてもらうことになる。それまでの授業で言葉に親しみ、「詩」というもののイメージをなんとなくつかんでもらっているので、さほどむずかしいことではない。「書きたいことが見つからなかったら『好きな色』について書いてきてください」と言って宿題にする。そうすると、たいがいの者が提出してくれる。そして、その詩を本人が朗読し、みんなで感想を述べあう。

驚くべき伸びしろ

それだけのことである。たったそれだけのことで、目の前の彼らが、魔法のようにみるみる変わっていくのだ。

はじめて教室に集まったときは、なぜか、そこにいる一人一人の人間の形が、はっきりと見えてこない。どっしりと土の塊が座っているような無表情な者がいる。手を差しだせば、警戒してさっと逃げてしまう野良猫《のら》の子のような態度の者もいる。なんでこんなところにいるんだと言わんばかりの不機嫌な様子の者がいる。姿形はさまざまで、その態度もさまざまなのに、彼ら一人一人の印象がはっきりしない。おそらくは、交流感がないからだ。だから、その生命の力を感じない。彼らは、見えない壁の向こうにいる。

そんな壁が、回を重ねるごとに薄らいで、やがて消えてゆく。本文のコメントでも書いたが、ひどく内気で自信がなかったEくん。あるとき、会話のなかで、彼の趣味が魚釣りであり、魚に詳しい、ということがわかった。そこで、魚に関することは、彼に話題を振ってみるようにした。すると、Eくんは、みるみる積極的になり、口では説明しづらいと感じると、自分で黒板に行って、図を描いて堂々と解説できるほどになったのだ。はじめの、あのスカートの陰から恐る恐る人の顔をのぞいていたようなEくんからは、とても考えられないような行動だった。

授業が終了したあとも、Eくんの評判は聞こえてきた。「工場でも、見違えるようにしっかりして、みんなとうまくいくようになっている」と、刑務官の先生からの報告があったという。「Eくんが、あんなふうに変わったなら」と、自ら志願して、この社会性涵養プログラムを受けたいと申し出る者も出てきた。

足を広げてふんぞり返って座っていたOくんは、俳句をほめられたことをきっかけに、腰かける姿勢まで変わってしまった。授業に興味を持って、身を乗りだすようになった。

自傷傾向があり、情緒の安定を欠くKくんは、妄想や空想をノートに書きつけ、心から取りだして客観化するようになった。すると、心が落ち着き、醸《かも》しだす雰囲気さえ変わってきた。いまでは、仲間から人生相談を受け、応《こた》えてあげる立場にまでなっている。

人間、たった六ヶ月、十八回の授業を受けただけで、そんなに変われるなんて、と、わたしは我が目を疑った。ビギナーズ・ラックで、たまたまうまくいったのだと最初は思っていた。

ところが、そうではなかった。今回、五期目が終了したが、効果が上がらなかったクラスは一つとしてない。ほとんどの受講生が、明るい、いい表情になってきて、工場の人間関係もスムーズになる。

そんな受刑者の変化を感じた工場担当の刑務官の先生方が、彼らを適切なポジションに配置してくださる。すると、工場全体に、更生に向けて前向きの明るい雰囲気が漂うようになるという。一人の変化が、全体に影響する。悪循環の反対の、良循環のはじまりである。

逆に、工場に一人でも歩調を乱す者がいると、悪循環がはじまってしまう。授業の効果を実感した刑務官の先生から「次は、問題を起こしがちなあの子を入れてやってください」と依頼されるまでになった。そうやって「社会性涵養プログラム」を受けた者のなかには、受講後、工場で指導的立場に立っている者すらいる。

彼らの大きな変貌《へんぼう》ぶりを思うと、わたしはなんだか泣けてきてしまうのだ。細水統括のおっしゃるとおりだった。彼らは、一度も耕されたことのない荒れ地だった。ほんのちょっと鍬《くわ》を入れ、水をやるだけで、こんなにも伸びるのだ。たくさんのつぼみをつけ、ときに花を咲かせ、実までならせることもある。他者を思いやる心まで育つのだ。彼らの伸びしろは驚異的だ。出発地点が、限りなくゼロに近かったり、時にはマイナスだったりするから、目に見える伸びの大きさには、目をみはらされる。

こんな可能性があったのに、いままで世間は、彼らをどう扱ってきたのだろう。

このような教育を、もしずっと前に受けることができていたら、彼らだって、ここに来ないですんだのかもしれない。被害者も出さずに、すんだのかもしれない。「弱者」を加害者にも被害者にもする社会というものの歪《ゆが》みを、無念に思わずにはいられない。

名残惜しさのなかで六回の授業を終えるころには、一人一人の個性がはっきりと際《きわ》だつようになる。何よりもみんな、かわいくなる。慣れ親しんだから、というだけではない。彼らの内面で、確実に何かの変化が起きているのだ。

あたたかで安心できる「座」が心を育《はぐく》む

「社会性涵養プログラム」の成果が目に見えてあがったことで、刑務所関係の研修会などに呼ばれる機会が何度かあった。二〇〇九年の近畿教誨師会《きょうかいしかい》ではシンポジウムのパネリストとして登壇させていただいた。

「教誨師」とは、刑務所や少年院などの矯正施設に、宗教家の立場としてボランティアで関わっている方々のこと。宗派を超え、力を合わせて、受刑者の更生に力を傾けてくださっている。その教誨師会での打ち合わせの折、ある教誨師の先生から「みんなよくなったなんて、ほんとうにそんなことができるのでしょうか」と真剣なまなざしで問われた。

その先生がおっしゃるには、受け持っている受刑者のなかに一人、どうしてもうち解けてくれない者がいて、二週間に一回、二時間の面接をもう二年間も続けているのに、変化の兆《きざ》しがないというのだ。経験豊かな教誨師の先生でさえ、むずかしいと感じる受刑者もいる。

わたしは、改めて「社会性涵養プログラム」の効果の大きさに驚き、何が効果を上げたのか、それを自ら問い直してみることになった。

たったひとつの要因で、奇跡のようなことが起きるわけがない。複数の要因が互いにいい影響を与え、結果として目に見える効果をあげているに違いない。

第一に、刑務所の教官の方々の熱心さが挙げられるだろう。月に三回の「社会性涵養プログラム」のときだけではなく、工場で、日常生活で、彼らをよく観察し、さりげなく声をかけ、励まし、信頼関係を築いている。さらには、彼らの犯罪歴だけではなく、その生育歴まで把握し、常にその背景を考慮しながら対処していらっしゃる。だからこそ、受講生は、教室で安心して心を開くことができるのだ。

このプログラムを担当している竹下教官はこう語る。

「どんな凶悪な犯罪者も、はじめは心に傷ひとつない赤ちゃんだったはずです。ところが生育していくなかでさまざまな困難に出会い傷ついてゆく。受刑者の多くが、子どものころ、精神的、身体的な傷を受けています。その傷をうまく処理できなかった者が非行に走り、犯罪者になるのかもしれません。更生させ再犯を防ぐためには、元の自分に戻してやることだと思うのです。子どもらしさを素直に出させ、それでも大丈夫だ、と安心させてやることができれば、立ち直るきっかけになり、非行や犯罪と無縁の生活を送れるようになるのです」

乾井教官はこれを「思いを汲《く》んで、寄り添い支え、手塩にかける」と表現する。

といっても、教官だけが教育に関わっているわけではない。ケンカなどに走りがちな受刑者たちを律し、規律正しい生活に導いてくれる刑務官の先生方の力なしには、教育は成り立たないという。奈良少年刑務所の職員のうち、約九割が刑務官であり、残りの約一割が教育の教官、心理技官、作業技官、医療技官である。企画部門の教育担当は十四名にすぎない。現在、約二百名の職員で、七百名あまりの受刑者を、二十四時間、管理している。

「刑務所の職員全員がそれぞれの立場でその役割を果たしながら連携していくことで、歯車のようにうまくかみ合い、はじめて、教育や改善指導の効果もあがるのです」とのこと。刑務所自体が全体で大きな「場」として受刑者を包んでいる。連携の大切さを感じる。

また、このプログラムが、異なる三つの要素から成り立っていることも、大きな要因だろう。「開けゴマ」の呪文《じゅもん》一つで、心の扉が開いたわけではないのだ。気持ちのよい挨拶の仕方を学び、それを刑務所生活で生かす。気持ちを伝える方法を学び、ケンカをうまく回避する。そんなことの積み重ねが、彼らの日常をより「生きやすく」してくれる。

そんな日々のなかで、無心になって絵を描く時間があり、宿題の詩を一人で書いて自分と向きあう時間があり、それを合評する時間がある。そのすべてが、各方面から、じわじわと氷を融《と》かすように、徐々に心のこわばりを取り、彼らのなかに押しこめられていたものを、安心して表現できるようになるのではないか。

そして、何より「グループワーク」という「場の力」だ。一対一の対応とはまた別種の、独特に密度の高い時間が出現する。十名ほどの受講生と、講師、複数の教官とが一つの大きな「座」を作っている。そのなかで、さまざまな意見が交わされ、互いの意見に耳を傾けあう時間がある。自分が発表しているときは、残りの全員が、自分に耳を傾けてくれる。朗読を終えたときも、みんなが拍手をくれる。十数名からの拍手を得られるということの大きさ、誇らしさ。もしかしたらそれは、彼らにとって、生まれて初めての体験かもしれない。

このような有機的な交流が、その場をよき温床として、彼らの芽をぐんぐん伸ばしていく。その速度たるや、驚くばかりだ。

わたしは、彼らと合評をしていて、驚くことがあった。誰ひとりとして、否定的なことを言わないのだ。なんとかして、相手のいいところを見つけよう、自分が共感できるところを見つけようとして発言する。大学で授業をしても、批評と称して相手の人格さえ否定するような罵詈《ばり》雑言《ぞうごん》を吐く学生がいるのに、ここでは、なぜかそんなことはない。

なぜだろう、と思って観察していて、あることに気づいた。刑務所の先生方が、彼らのいいお手本になっているのだ。それはもう、間違いのないことに思われた。先生方は、普段から、彼らのありのままの姿を認め、それを受けいれているというメッセージを発信し続けていらっしゃる。そのメッセージを受けとった者は、同じように仲間のありのままを受け入れようとする。すると、受刑者のなかに、互いに受け入れ、高めあおうという前向きの雰囲気が、自然と醸されてくるのだ。

ともかく、いい機会さえ与えられれば、こんなにも伸びるのだ。それがなぜ、教室に来た当初は、土の塊のように見えたのか？

彼らはそれまで、そのような「場」を、ほとんど持たずに育ってきたのかもしれない。家族、学校、友だち。上手にその輪に入れず、または弾きだされてきたのかもしれない。お手本になる大人もいなかったのかもしれない。社会から排除された彼らに手を差しのべてくれたのは犯罪傾向のある人々で、彼らを助けるためではなく、利用するために近づいてきただけなのかもしれない。そんなことすら、思わずにはいられない。なぜなら、一人一人話してみれば「この人がなぜ犯罪を？」と思うような人ばかりだからだ。

芸術の力　詩の力

もうひとつ、心底感じたのが「芸術の力」だ。とくに「詩」に関しては、わたし自身、詩に対する考え方が変わるほどの大きな衝撃を受けた。

「物語の教室」で、童話を読み、詩人の書いたすぐれた詩を読む。それだけでも、もちろん彼らの様子は違ってくるのだが、目に見えて何かが大きく動くのは、彼ら自身に「詩」を書いてもらい、それを合評する段階に入ってからだ。

たとえ、それが世間で言う「詩」に似ていなくても、それは確かに「詩」だ。日常の言葉とは違う言葉だ。ふだんは語る機会のないことや、めったに見せない心のうちを言葉にし、文字として綴《つづ》り、それを声に出して、みんなの前で朗読する。その一連の過程は、どこか神聖なものだ。そして、仲間が朗読する詩を聞くとき、受講生たちは、みな耳を澄まし、心を澄ます。ふだんのおしゃべりとは違う次元の心持ちで、その詩に相対するのだ。

すると、たった数行の言葉は、ある時は百万語を費やすよりも強い言葉として、相手の胸に届いていく。届いたという実感を、彼らは合評のなかで感じとっていく。その「詩の言葉」が、人と人を深い次元で結び、互いに響きあい、影響しあう。そのような神聖な時間、静謐《せいひつ》で精神的な時間を、わたしたちは普段、あまりにも持たないできた。

わたし自身、詩を書く者であるのに、詩の言葉をどこかで信用していなかった。詩人という人々のもてあそぶ高級な玩具ではないか、と思っている節さえあった。けれど、この教室をやってみて、わたしは「詩の力」を思い知らされた。それまで、詩など、なんの関係もなかった彼らのなかから出てくる言葉。その言葉が、どのように人と人をつなぎ、人を変え、心を育てていくかを目の当《ま》たりにした。それは、日常の言語とは明らかに違う。出来不出来など、関係ない。うまいへたもない。「詩」のつもりで書いた言葉がそこに存在し、それをみんなで共有する「場」を持つだけで、それは本物の「詩」になり、深い交流が生まれるのだ。

大切なのは、そこだと思う。人の言葉の表面ではなく、その芯《しん》にある心に、じっと耳を傾けること。詩が、ほんとうの力を発揮できるのは、実は本のなかではなく、そのような「場」にこそあるのではないか、とさえ感じた。

SSTと同じように、全国の小学校や中学校で、このような詩の時間を持てたらどんなにかいいだろう。詩人の書いたすぐれた詩を読むだけが、勉強ではない。すぐそばにいる友の心の声に、耳を澄ます時間を持つ。語りあう時間を持つ。それができたら、子どもたちの世界は、どんなに豊かなものになるだろう。

この詩集は、前半が「社会性涵養プログラム」の「物語の教室」から生まれた作品、後半は「母」をテーマに文芸の課題として受刑者が書いた作品である。そのような血の通った生きた言葉を、あえて活字にして本に閉じこめてしまったので、それがどれだけ伝わるか、心許ない。このような言葉を共有した場があったことを、思い浮かべていただければと思う。

人は変われる

平成二十二年版「犯罪白書」によると、日本の刑務所に収容されている人の五十五パーセント弱が、再犯者であるという。刑務所が、矯正施設として機能し、すべての人がきちんと更生して社会に戻るならば、世の中の犯罪の半分以上はなくなる勘定になる。受刑者が更生することこそが、わたしたち自身の安全を守ることにつながるのだ。

奈良少年刑務所には、現在、七百名あまりが収容されている。彼らはみな、犯罪傾向の進んでいない若い世代で、入所時の年齢は十七歳以上二十六歳未満。ここで彼らが再教育され、一人も刑務所に戻ってこなければ、日本の刑務所はガラガラになるはずなのだ。

犯罪そのものは、憎むべき行為である。被害者の無念やそのご家族の心の傷は、計りしれない。償おうとしても償いきれるものではない。加害者には、生涯、それを重く受けとめてもらわなければならない。犯罪を犯すのは、個人だ。その個人に責任は帰せられて然《しか》るべきである。

しかしまた、社会が、犯罪者を作っていることも事実である。そのことを、わたしたちはいつも、忘れてはいけない。犯罪者を作らない社会にしなければ、犯罪のない安全な社会は実現しない。

社会性涵養プログラムは、わたしに「詩の力」を知らしめてくれるとともに「人は変われる」ということを、信じさせてくれた。人間というものを信じる力をくれた奈良少年刑務所の受刑者たちと先生方に感謝したい。

刑務所は、家や学校、地域社会、社会福祉のあらゆるセイフティー・ネットからこぼれ落ちた人々の、最後のセイフティー・ネットだ。彼らは、ここで更生の機会を与えられる。奈良少年刑務所では「社会性涵養プログラム」「暴力回避プログラム」「性犯罪再犯防止指導プログラム」など、最新の研究成果を取りいれた、更生のための教育の試みがなされている。また、教誨師・篤志《とくし》面接委員など、心のケアをする人々、左官・理容・木工など、職業訓練のための指導者、多くの民間の人々が、ボランティアなどのさまざまな形で、受刑者の更生に協力をしている。

しかし、ほんとうの意味での更生がはじまるのは、社会に戻ってからだ。更生保護女性会・保護司・協力雇用主など、元受刑者を支えてくれる人は多い。しかし、一般社会からは、いまだタブー視される傾向があることは否めない。

この詩集が、刑務所の矯正教育と受刑者理解の一助となり、一人でも多くの理解者を得て、彼らが二度と塀のなかに戻らないことを祈っている。

物語の教室・使用教材
『おおかみのこがはしってきて』（パロル舎）
『どんぐりたいかい』（チャイルド本社）
『ほしのメリーゴーランド』（フレーベル館）
『すてきなすてきなアップルパイ』（鈴木出版）
『まど・みちお詩集』（角川春樹事務所）
『金子みすゞ童謡集』（角川春樹事務所）

文庫版あとがき

町の中の刑務所

晴れていれば、必ず自転車で行く。月に一度の社会性涵養《かんよう》プログラム「物語の教室」。鹿たちがのんびりと草を食《は》む奈良公園を抜け、県庁と東大寺の間の奈良街道を通り、小さな川を渡ると、急な坂道になる。坂を上りきれば、奈良少年刑務所だ。高い煉瓦《れんが》塀の向こうに、抜けるような青空が見える。白い雲が浮かんでいる。それを見あげながら、息を切らせペダルを踏む。塀の中では、七百名余の若者たちが暮らしている。きょうの授業を楽しみにしてくれている十人ほどの受講生もいる。

刑務所まで、東大寺や県庁からなら五分もかからない。奈良町のはずれのわが家からでも、ほんの十五分ほどの道のりだ。奈良では、刑務所は町のすぐそば、いや町の中にあるとさえいっていい。けれども、そこには町の日常とは隔てられた世界がある。

刑務所のある奈良坂を越えれば、京都。ここは、古来から街道沿いのマージナルな土地だった。「般若寺《はんにゃじ》」は遊女たちの駆け込み寺だったし、史跡「北山十八間戸」は日本で最初にできたといわれるハンセン病患者のための救済施設。世間からはじき出された弱者たちを温かく受け容れてくれる場所。刑務所がこの場所に建てられたのにも、土地の力があるのかもしれない。

刑務所に通うようになってはじめて思った。刑務所のあの高い壁は、受刑者を閉じこめておくためだけのものではない。薬物をはじめとする世間のさまざまな誘惑や危険、差別などの荒波から、彼らを一時的に守るための防波堤ではないか、と。

奈良少年刑務所（旧・奈良監獄）が現在の地に竣工《しゅんこう》したのは明治四十一年。「近代国家日本」であることを西欧列国に誇示するために、大日本帝国は過剰なまでに立派な煉瓦の建造物を作った。それは、遠い天平の時代の「大仏建立《こんりゅう》」にも通じる。大仏にもまた、先進の大陸に日本の力を誇示する意味も含まれていたのだ。刑務所は、まさに「明治の大仏」だった。

当時、そのようにして作られた豪華な刑務所は全国に五つあり「明治の五大監獄」と呼ばれていた。千葉・金沢・奈良・長崎・鹿児島だ。全貌《ぜんぼう》が当時のままに残されている場所は、奈良以外にはない。みな壊されてしまった。時の流れに取り残されたような奈良にだけ、この立派な建造物が残されたのは、ある種の幸運だったと思う。

自転車を置き、まるで城のような立派な門をくぐる。ちなみに、受刑者たちに聞くと、この門のことを覚えていないという。入所するときは護送車の中で、よく見えない。見るどころではない。出所するときには、振り向かないから、彼らの記憶にこの門の偉容は刻まれない。

この門が、世界を内と外にきっぱりと区切っている。守衛さんが、出入りの人をきびしくチェックしている。面会者や業者もここを通る。この門だけが、世間への唯一《ゆいいつ》の開口部だ。

最近はここに熱センサーが設置された。インフルエンザなどのウイルスを持ちこむと、閉鎖空間で一気に広がってしまう。それを怖《おそ》れての設置だ。

門をくぐると、西洋のお城のような本館と、その前庭がある。植え込みは和風で松の木と庭石。ちょっとちぐはぐでふしぎな風情《ふぜい》だ。それでも、刑務所だと知らなければ、誰もがロマンチックなすてきな場所だと思うだろう。

砂利を踏みしめ、前庭を突っ切り、本館の扉をくぐる。手すりまで石でできた重厚な階段を上り、教官たちのいる二階へ。そこから、授業を行う教室に案内される。教室にたどりつくまでに、いくつもの扉がある。その扉ごとに、鍵《かぎ》が開けられ、閉められる。がしゃんと閉められるたびに、ああここは閉じられた空間、人が閉じこめられている場所なのだと感じないではいられない。

放射状に配置された監房の、扇の要《かなめ》にあたる場所には、中央監視台がある。ここに立てば、五方向、すべて見渡せる。わたしはここに監視の人がいるのを見たことがない。受刑者たちは、昼の間は工場や刑務所のなかで働いているからだ。受刑者は、よく訓練された船員たちのように、てきぱきと秩序正しく日常をこなしている。

両側に監房のある通路を通り抜ける。がっしりとした木の扉がずらっと並んでいる。扉の下に、食器を出し入れする小さな窓がついていることにドキッとする。

空室になった部屋を、刑務官が点検している場面に遭遇することもある。天井のやけに高い、小さな空間。ここが彼らの生活の場だ。刑務所でなければ、それなりに居心地がいいようにも思えるが、冷暖房のない煉瓦建築は、暑さ寒さもきつく、暮らしにくいという。冬にはしもやけで赤く腫《は》らした手で、教室に来る子もいる。

それでも、近代的で無機質な四角い箱に閉じこめられて何年も送るよりは、ずっとましなのではないか、心が癒《いや》されるのではないか、と思わずにはいられない。それほど、この建物は美しい。煉瓦や木の古びた風合いが、なんともいえない。それは、ここで暮らしたことのない者の、いい気な言い分だろうか。

監房のある長い通路を抜けて外に出ると、ふっと爽《さわ》やかな木の香が鼻をくすぐる。削りたてのヒノキの香りだ。正面は木工の工場。ここで、受刑者たちは、奈良の一刀彫の技術などを学びながら働いている。真剣な表情で木と向き合っている受刑者の横顔が、窓からかいま見える。すがすがしい。

さらに、その隣の建物へ。また鍵が開けられる。教室へ至る最後の鍵。最初から数えると五つ目だ。実に厳重である。

教室の建物は、旧陸軍の建築物を移築したものだ。本館や監房の重厚な煉瓦建築とは違い、簡素を旨としている。軍人の歩幅に合わせたのか、一段がやけに高い木の階段を上って、二階へ上る。

日当たりのいい窓の大きな部屋が授業のための部屋。ガラス越しに、木の枝と空とが見える。季節により、枝は芽をふき、緑に繁《しげ》り、紅葉する。空もさまざまに表情を変える。区切られた空間だからこそ、受刑者たちは、ささやかな季節の変化に敏感になっている。

カーペット敷きの教室なので、靴を脱いであがる。靴を脱ぐ、ということだけで、受刑者たちは、少しだけほっとする。大切なのは、彼らにリラックスしてもらうこと。でないと、貝のように固く閉じた心は、容易に開かない。

教室には、机が円く並べてある。受講者は十名前後。それに対して、教官二名、講師と講師助手がつく。教育統括や、他の教官や刑務官が参加することもあるから、実に手厚い。

教官や講師は、受刑者の間にばらけて座る。異常なまでに気の弱い子がいるときには、その子の隣に教官が座って、励ましながら授業を進めることもある。というわけで、いよいよ社会性涵養プログラムのはじまりだ。

社会性涵養プログラムの実際

詩集をお読みになったみなさんの中には「どうして、受刑者たちは、こんなに心に迫る詩を書けるのか?」「どんな授業をしているのか?」とふしぎに思われる方もいらっしゃるだろう。特別な秘密はない。受刑者たちと正面から向きあっているだけ。ともかく、実際の授業風景を、ありのままにお伝えしてみようと思う。

全員集まると、まず挨拶《あいさつ》。全員立ち上がり「よろしくお願いします」と礼をする。刑務所生活では、普段から生活指導が行き届いているから、こういうところは、実にきちんとしている。立ちあがったときには、椅子《いす》を机に入れ、わたしたち外部講師より、姿勢も動作もしっかりしているくらいだ。

席につき、まずは教官が作成した「教育で守ること」を一項目ずつ、読んでもらう。その中には「相手が発言しているときは、きちんと聞く」「意見を求められたらできるだけ答える。答えられないときは『わかりません』という」「みんなのための時間なので、一人で長く話さない」などの、ごく基本的な事項が含まれている。当たり前のことばかりだが、毎回これを確認しあうことに意義がある。

教室が、お互いを尊重しあう学びの場である、ということを、声に出して確かめあうことは、とても大事なことだ。これだけのシンプルな事項を、もしみんなが守ることができたら、小中学校でも「学級崩壊」などありえないのではないか、と思ったりもする。

次に「表情カード」を使い、一人一人に、きょうのコンディションや気分を手短かに伝えてもらう。

「表情カード」とは、笑ったり泣いたり怒ったり苦しそうにしている、わかりやすい表情の顔の絵に、「たのしい」「たのしみ」「緊張」「リラックス」「ブルー」「疲れている」「いらいら」「しんどい」など、気分を表現する言葉がついているもの。そのカードの一覧を黒板に掲げ、その中から、いまの気分に近いものを選んでもらって、該当する絵を指し棒で指しながら、話してもらう。

これもまた、とても単純なものではあるが、実に役に立つ。表情カードの発表を一巡するだけで、彼らの気分、体調、緊張度、意欲などを、授業の前に大まかに把握することができる。これにより、授業の進め方も変わってくる。たとえば、授業中に妙に投げやりな発言があったとしても、実は工場での作業が遅れていて気に病んでいるから、というようなことがわかれば、こちらの言葉のかけかたも違ってくる。

「表情カード」は、彼ら自身にとっても役に立つ。彼らの多くは、感情を表現するのがとても苦手だ。それどころか、心を固く閉ざすあまり、自分自身の感情すらよくわからない、という場合もある。

そんなとき、この単純なカードが、心を開く助けになる。カードにより、小さな手がかりが得られれば、彼らもぐっと語りやすくなるし、自分で自分のコンディションに気づくきっかけにもなる。なぜ「しんどい」のか、なにがあって「いらいら」しているのか、心のうちにある原因を、自分で見つけられる。それを思いきって言葉にして吐きだしてみれば、教官たちが「そうか、そうか。それは大変だね。よくがんばってるね」としっかりと受けとめてくれる。それだけで、彼らの心が少しほぐれる。自分の心に気づくこと、吐きだすこと。それは凝り固まっていた心を解放する第一歩にもなるのだ。

初回の授業のときは、ほとんど全員が「『緊張』しています」という。「でも、どんな授業なのか『たのしみ』です」と付け加える子も少数いる。

それは、わたしも同じだ。こんどはどんな子たちが来ているんだろう、どんな授業になるだろうか、と緊張する。彼らがどんな罪を犯したのか、わたしたち講師は規則により、一切聞かされていない。それも緊張の一因だが、聞かされたら、もっと不安になるかもしれない。

その一方で、彼らと過ごす時間が楽しみでもある。だが、正直、緊張の方がずっと大きい。その緊張感さえ楽しみに持って行こうと、自分の心を力ずくで持ちあげる。講師が緊張しまくっていては、受講生だってリラックスできるはずがない。

だから、わたしも受講生同様、表情カードを指しながら「『緊張』しています」と言い、「でも、すごく『たのしみ』です」と言葉にして言ってみる。

そう、この授業は「先生が生徒に教える」という形式ではない。いっしょにいる教官も講師も、受講生と同じように発表をする。教官と講師は「詩」は書かないけれど、「表情カード」を使って、その日の気分を伝え、授業が始まれば、みんなと同じように参加する。

童話から詩へ

「表情カード」の挨拶が一巡すると、いよいよ授業の本番だ。六回ある「物語の教室」の最初の二回は、絵本を読み、朗読劇として演じる、という授業を行う。すでに単行本版のあとがきで書いたように、それだけのことで、彼らの心はかなりほぐれてくる。

三回目は、金子みすゞやまど・みちおの詩を読んで、感想を述べあう。これは、彼ら自身に「詩」を書いてもらうための導入でもある。「詩を書く」というと、つい身構えてしまうところを、なんとかしてハードルを下げたいと思ってこの授業を行っている。

五期のクラスで、まど・みちおの「ぞうさん」を題材にしたことがあった。こんなにやさしい言葉でも「詩」なのだ、ということをわかってほしいと思って選んだ題材だった。黒板にこの詩を板書すると、すぐに「あ、ぞ～うさん、ぞ～うさん♪の歌でしょ」と、腕を象の鼻のように左右に振りながら、反応してきてくれた子がいた。すると、みんな楽しそうに「知ってる」「ぼくも知ってる」と、いい感じでノッてきてくれた。「それじゃあ、歌いながら輪になって歩いてみよう！」と、みんなで腕をぞうさんの鼻のように振り振り、歩いてみた。最初は「幼稚だ」と嫌がったり照れていた子も、みんなの輪に入ると、いきいきと動きだす。やがて、みんなで大声で歌いながら、踊った。もちろん、教官も講師もいっしょだ。胸がすかっとするほど楽しい時間だった。

思えば、ふしぎな光景だ。少年刑務所とはいえ、ほとんどが二十代前半の青年。しかも、強盗や殺人、レイプなどの重罪を犯した人々だ。その青年たちが、無邪気に「ぞーうさん　ぞーうさん♪」と歌いながら、輪になって腕を振り振り踊っている。そこだけ見れば、なんだかシュールだ。しかし、これで、このクラスの仲間は、一気に打ち解けた。

後で教官から「子どもらしい子ども時代を送ってこなかった子が多いんです。ですから、こういうところからやり直すことが、彼らの心を癒すことになる」とのお話。なるほど。これはきっと、彼らにとって、ほかでは絶対に得られない、貴重な時間。なにも考えずに無邪気になれる時間だったのだ。

ところが、六期のクラスのとき、同じ事を期待すると、まったく反応が違って戸惑った。一人が「イヤだ」「幼稚すぎる」「なんの役に立つのかわからない」と言いだした。頑《かたく》なに主張する。すると、ほかの受講生も同調して「イヤだ」と言いだした。「まあまあ、そう言わずにやってみようよ」とやっとなだめて、ともかく一度声に出して歌ってみる、というところまで漕《こ》ぎつけたとき、最初に拒否した一人が「やっぱりイヤだ」と言いだした。

「どうして？　この歌、知ってるでしょう。一度でいいから、歌ってみようよ」と重ねていうと、意外にも「知らないっ」と、投げつけるような一言が返ってきた。

「え。幼稚園とか小学校で歌わなかった？」

「幼稚園も、小学校も行ってない」

言葉を失った。ああ、わたしはなんてことをしてしまったんだろう、と後悔の念が押し寄せてきた。生まれてからずうっと日本に住んできたのに「ぞうさん」の歌ひとつ歌わないまま、育ってしまう子がいるのだ。どんなにかきびしい環境だっただろう。想像もつかない。そんな子がここに来ているのだ。

それなのに、わたしは「だれでも『ぞうさん』の歌を知ってるはず」と決めつけ、押しつけてしまった。それによって、彼をより深く傷つけてしまった。歌いたくなかったのではない、歌えなかったのだ。歌を知らないことがバレるのが嫌だったのだろう。

どんなことでも「知ってるでしょ」と決めつけてはいけない、ということを学んだ。「知ってるかな?」と問いかけるのでなければならない。そして、もし知らない子がいても、それを責めるようなことを言っては絶対にいけない。知らないことは、少しも恥じることではない。それを感じてもらわなければ、彼らは心を開こうとしないだろう。

わたしは「ぞうさん」を知らない彼に「ごめんね」と心から謝った。その日の授業の間、彼はずっと反抗的だった。ところが、授業の締めくくりの挨拶で自分から「わがまま言って、ごめんなさい」と実にすなおに謝ったのだ。わたしはびっくりし、そして胸が詰まるような思いがした。そこに彼の複雑な思いが、いっぱいに詰まっていた。反抗しつつ、やっぱり受け容れられたいのだ。

さて、「絵本・絵本・詩を読む」の三回の授業の後「詩を書いてくる」という宿題を出す。題材は自由。なにも書くことがない人は「好きな色」について書いてくること、と課題を出す。

彼らは、房に戻って、自由時間に宿題をする。紙は教官から与えられた宿題提出用の紙で無地だ。原稿用紙ではない。

すると、本書にあるような詩が提出される。読みにくい、ヘタな字を書いてくる子もいる。最初のうちは、教官がそれをそのままコピーして配り、授業に使っていた。字の書き方や形にも、彼らの心がそのまま現われていた。小さな遠慮するような字で、はじっこの方にちまちまと書かれた文字。逆にはみだしそうに大きな文字。意外なくらいきれいな文字。思いが溢《あふ》れんばかりにびっしりと書きこまれた文字。「字は人なり」というけれど、こんなにはっきり見えるのも珍しいかもしれない。

わたしたちは、ときに詩の内容ではなく、その文字を鑑賞した。笑い者にするようなそんな批評ではなく、その字に込められた気持ちを受け取る心持ちで。

途中から、手書きの文字は、ワープロの明朝体に変わった。絵にふさわしいカットも添えられている。教官が一手間掛けてくれたのだ。あの手書きの文字に触れられないのはさみしかったが、彼らにとってはうれしいことだった。活字になって整然と並ぶ自分の言葉。それだけで、自分の詩が立派に見えてくる。

授業が始まる。すると、詩をめぐって、互いが心を開きあう驚くべき光景が出現する。詩を書き、それをみんなの前で朗読する。拍手を受ける。ただそれだけのことなのに。

それだけで、ときに、本人の心の扉がパーンと音を立てるように開き、苦しかった心情を一気に吐露しはじめることもある。いや、本人だけではない、聞いている受講生たちの心の扉までが開き、中に眠っていたやさしさや思いやりを引きだしてくれるのだ。

まさか、なぜ、どうして、と最初はふしぎに思った。魔法のように感じられた。どうしてこうなるのだろう? ビギナーズ・ラックではないか? しかし、それは繰り返し起こる。またた、またこんなすごいことが起こっている、と。一体、なぜそんなことが起こるのか?

心を開いてもらうということ

詩を書いてもらうまでの三回の授業が、特別なものではないことはもう、おわかりいただけたと思う。ここにはなんの魔法もない。あるとすればそれは、教官たちが心の底から、彼らの更生を願い、彼らが少しでも生きやすくなるよう、なんとか力になりたい、と真剣に願っているということだ。具体的には、なにをしているのか。

教官たちは、日常から彼らをよく観察し、適切に声を掛けている。刑務所は二十四時間体制で受刑者を見つめているから、このことはなによりも大きい。この大前提があって、はじめて、前向きの授業が成り立つ。

いざ授業というとき、わたしたち講師陣がもっとも留意することは、まず彼らにリラックスしてもらうこと。刑務所というところは、規律のきびしい場所だ。いつも背筋を伸ばしてしゃんとしていなければならない。歩くときも、号令に合わせて歩く。そんな彼らにとって「物語の教室」が、心をほどいてくつろげる場所になる必要がある。ここは安全な場所、なにを言っても正面から受けとめてもらえる場所、心を開ける場所、開いてもだれにも傷つけられない場所であることを、彼らに感じてもらわなければならない。最初の三回の授業は、そのためにあるといっても過言ではない。

まるで甘やかしているように見えるが、どうしてもこれが必要なのだ。信頼してもらわなければ、どうにもならない。その先に進めない。

授業には、いろんな子がくる。見たこともないほど内気な子。逆にひどく横柄《おうへい》で「オレサマに近づくなよオーラ」全開の子、心ここにあらずで魂の抜け殻のようにぼうっとしている子、落ち着きがなくおどおどしている子。どんな形も、それは一つの自己防衛の形。内側にある柔らかで傷つきやすい心や、すでに深く傷ついてしまった心を守り、隠すための固い殻なのだ。

だから、いつだって、はじめはひどくバラつきがある。それぞれが、独自に編みだした自己防衛の殼を身につけているからだ。ときに奇妙奇天烈にも見えるその殼は、実はその場しのぎの殼であり、社会では実際に役に立つよりも、彼らをより追いこむものになってしまっただろう。

しかし、授業が進むに連れて、その殼が徐々にはずれ、消えていく。すると、あれほどてんでんバラバラで、能力にも大きな差があるように見えたものが、だんだんそうでなくなってくる。ある種、平均化していく。

やがて、みな一様に「かわいく」なっていく。素直な、ほんとうの心がかいま見えてくれば、そこには理解不能なモンスターなどいない。彼らの心には、胸が詰まるほど苦しく悲しい思い出や、つらい記憶が満ちている。それを抱えながら、なんとか懸命に生きよう、まともな道を歩こうと、みなそれなりにもがいているのだ。その「素」の姿が見えてくる。

固い殼をはずすのに、もっとも力になるのが「詩」だ。本人が書いた詩を発表し、互いに合評すること。これに優るものを、わたしはいままで見たことがない。有名な詩人の立派な詩を学ぶよりも、たとえ稚拙でも、自分で書いた詩を自分で朗読し、仲間から拍手をもらい、感想を聞いて、受けとめてもらえた実感を持つこと。それで、それだけで、彼らは変わる。詩を書いた本人も、感想を述べる仲間もみるみる変わっていく。乾いた荒れ地だと思っていたところに、突然小さな芽が芽生え、ぐいぐいと伸びていく。彼らの中に「自尊意識」が育っていく。そこには確かに「場の力」「座の力」が働いている。「教える・教わる」という関係性の中では育《はぐく》まれないものが、自然と育まれていくのだ。

そんなときは、教官も講師も、ただ驚きに胸を打たれ、掛ける言葉さえすぐには出なくて、こぼれそうな涙を拭《ぬぐ》いながら「すごいね。きみたちは、すごい。先生、感激したわ」と言うしかないのだ。

だれもなにか「指導」をしたり、なにかを「教えた」わけではない。教官も講師も、ただ彼らが心から安心できる場所、くつろげる時間を作ろうと努力しただけ。いつもきみたちを見つめているよ、きみたちのことを大切に思っているよ、なんとか更生してほしい。ただそれだけの気持ちで彼らを一心に見つめているだけなのだ。

それだけで、彼らは自分たちで芽を出し、みるみる成長していく。その瞬間に居合わせられることのしあわせを、感じないではいられない。人間という生き物は、捨てたもんじゃない。刑務所に入るような重い罪を犯した人間でさえ、心にこんなやさしさを抱いている。どうしてこれが、いままで発揮されないまま、彼らはここへ来てしまったのか。そう思わずにはいられない。

一ヶ月に一回、一時間半の「物語の教室」の授業は、六回で最終回となる。最後の授業を迎えたとき、彼らは確かに変化している。始めて教室に来たときとは、確実に違っている。もっともっと、彼らと会っていたいと、わたしは思う。彼らも、もっともっと詩を書きたい、この教室に来たいと願っているのが、ひしひしと伝わってくる。

けれど、それはできない。より多くの受刑者にこのプログラムを受けてもらうために、一期は半年、と決まっているのだ。

彼らが意欲を持って詩を書くようになり、そのすべての作品の合評ができないままに、「物語の教室」は、幕を閉じることになることが多い。積み残しがある。わたしも残念だし、彼らも残念に思っている。

より多くの受刑者にこの授業を受けてもらうために、この教室を細胞分裂のように二つにして、一期二クラス開講する、ということも検討されている。そのために、新たな教官や刑務官に、この授業に参加してもらっている。マニュアルだけでは伝えられないことを、いっしょに授業をするなかで、伝えていければ幸いだ。

面白いこと、というと失礼だけど、こんなことがあった。期の途中から授業に参加した教官。すでに「場・座」ができていたから、どうしても浮いてしまう。なかなか返答できない子がいても、言葉が出てくるまで辛抱強く待つ、という姿勢が、わたしたちのなかにはできていた。しかし、世間のスピード感のなかから、急にこの教室に飛びこんできた教官には、この時間の流れと沈黙が耐えられない。「はよ答えてみ」などとつい促してしまう。すると、ようやく喉《のど》まで出かかっていた言葉が、すっと引っこんでしまう。カタツムリが、その角を引っこめてしまうように。わたしたちには、それが見えるのだ。教官も、みんなの白い目線に気がついて、はっとする。ああ、ここは待つべきところなんだ、日常の時間の流れと違うんだ、と気づく。「社会性涵養プログラム」は、こうして教える側の社会性まで涵養してしまうのだ。わたしも、この教室に通うようになってから、ずいぶん自分自身を成長させてもらったと感じている。

この詩集には、五期の授業までの作品が収録されている。あれから一年、いま、七期目が終わろうとしているところだ。またしても、小さな奇跡や魔法のようなできごとが起きている。すばらしい作品も生まれている。いつか、お伝えする機会があればと願う。

寡黙《かもく》な子が、最終回の授業になって、とんでもなくすばらしい詩を提出してきたことがあった。この授業を始めてからこんなに寡黙な子はいない、というくらい言葉の少ない子だったのに、彼の詩は、繊細で、透明な悲しみと孤独に満ちていた。

わたしは感嘆し、思わず「これを外で朗読してもいい？」と本人に尋ねた。彼はすなおにうんとうなずいた。「詩の雑誌に発表してもいい？」と聞けばこくりとうなずく。「本名で発表してもいい？」と重ねて聞くと、またうなずき、彼は笑顔を見せた。はにかむような、実にうれしそう笑顔だった。

彼のそんな顔を、わたしはそのときまで、見たことがなかった。いつも、氷原のただなかに、ぽつんと置き去りにされたような、さみしげな表情をした子だった。みんなで体を動かしているときも、教室の片隅で膝《ひざ》を抱えてうずくまっているような子だった。

本人がいいといったからといっても、刑務所の授業のなかで書いた作品を、勝手に外に持ち出すことはできない。教官に詩を発表させてほしいと相談した。申請書を書き、「匿名《とくめい》で」「刑務所の社会性涵養プログラムの解説付きで」という条件で、特別に発表が許された。

彼の作品は、奈良の詩誌「紫陽」23号に掲載されている。先日、詩の集まりでその作品を朗読したところ、その場が驚きで静まり返った。「孤独な背中と気怠《けだる》さと」

と題されたその作品に、みな声を失うほど感動していた。わたしは、その様子を早く彼に伝えたいと思う。彼はそれを知り、掲載誌を見て、どんなにか歓《よろこ》ぶだろう。それによって彼が自尊心と自己肯定感を得て、もっと楽に人とコミュニケーションができるようになることを、願わずにはいられない。

社会復帰への道

刑務所という閉じられた世界の中で起こったことを「詩集」という形で世に問うためには、大きな壁があった。「前例がない」という壁である。普通なら、怖がって越えることのないこの壁を「受刑者の真実をもっと広く知ってもらいたい」「彼らが社会復帰したときに、一人でも多くの理解者を得たい」という一心で、刑務所と法務省の方々が協力してくださった。勇気ある判断をしてくださったことに、深く感謝している。

また、この詩集出版のために尽力してくれた長崎出版の中西洋太郎さんに感謝する。中西さんの迅速な対応がなかったら、本にする機会を逸したかもしれない。この本は実際、綱渡りのようにして、世に出ることができたのだ。

単行本は大きな反響を呼んだ。広告を一本も打たなかったにもかかわらず、新聞、テレビなどで紹介され、多くの方が読んでくださった。受刑者たちの詩集が、金子みすゞ、茨木のり子、谷川俊太郎などの著名詩人の詩集と並んで読まれている、というのは、ひとつの事件だ。

愛読者カードや、ネット上でも、さまざまな感想が寄せられた。オンライン書店アマゾンの読者レビューに寄せられたこの詩を読んで、わたしは涙せずにはいられなかった。ご本人の了解を得て引用させていただく。

やがて出て行く君たちへ

By Lehman Packer（神奈川県）

君はいずれここを出て行くのだろう
時に暖かく
時に厳しい
世間に出て行くのだろう

つらい時、みじめに感じた時には
この詩を書いたときのことを思い出してごらん

君の心に向き合った時のことを
君の心に優しいものを見つけた時のことを

思い出してごらん
その思いを言葉に表せた時の喜びを
伝えた時に感じた胸の高鳴りを
受け止めてくれた友を
その賛辞を

思い出してごらん
世界でただ一つの詞をつむいだ君を

君に幸あれ
君の心に安らぎあれ

Amazon.co.jp®カスタマーレビューより

彼らの更生を成就させるには、二つの条件がある。一つは、彼ら自身が変わること。そして、元受刑者を温かく受け容れてくれる社会があることだ。

彼らは詩を書くことで、自らが変わった。その詩は「詩集」として多くの人の心に届き、見知らぬ人から、こんな励ましの言葉さえ、かけてもらえたのだ。彼らは、自分たちの言葉で、自分たちが社会に戻っていく道を切り拓いている。そのことに胸が熱くなる。

いまここに、文庫本というハンディなスタイルで、新たにお届けできることを、とてもありがたく思っている。彼らの詩に出会って感動し、わざわざ奈良まで足を運んで文庫化を申し出てくださった新潮社の寺島哲也さん、出版一年目なのに文庫化することを快諾してくださった長崎出版の方々に、深く感謝したい。また、刑務所の美しい写真を撮影してくださった上條道夫さん、講師助手としてともに受刑者たちと向き合い、いつもわたしの傍らで力になってくれた夫の松永洋介にも感謝する。

文庫化により、いままで到達できなかった人々にもきっと届き、広がっていくだろう。なんという、うれしいことだろう。

この文庫で心を打たれたら、ぜひ単行本も手にとっていただきたい。大きな文字で余白を感じながら読むことで、詩のさらなる真価を感じていただけることと思う。

心の扉が開いてこそ、人は罪と向き合うことができる。詩は、彼らの心の扉を開いた。罪を悔い、償いの心を忘れず、社会が温かく迎え入れてくれれば、彼らはしっかりと社会復帰への道を歩むことができるはずだ。

再犯がなくなるということは、新たな被害者が生じないということ。悲しい被害者を生まないための、究極の被害者救済でもあると信じている。

刑務所の門を出たきみたちが、二度と刑務所に戻ってきませんように。

いつの日か、日本中の刑務所が、からっぽになる日が来ますように。

一二六〇回目のお水取りの松明《たいまつ》の燃える奈良にて

追記

その日、わたしは「社会性涵養《かんよう》プログラム」の第七期の最後の授業を終え、教官たちとともに教室にいた。目眩《めまい》がしたのかと思うほどゆるやかに大地が揺れはじめた。なめらかな横揺れが五分ほども続いた。見れば、刑務所の運動場のポプラ並木が、右に左にと一斉になびいている。幸い、明治建築の頑丈な刑務所には少しも損傷がなかった。どこか遠くで大きな地震があった、とは思ったが、まさか三陸沖が震源地とは……。東日本大震災の被害の大きさ、それに続く原発事故に、声も出ないほどの衝撃を受けた。

その数日後、詩誌「紫陽」を受け取ったXくんから、明るい伝言が届いた。彼は、詩誌に自分の詩が活字で載っていることに驚き「書いてよかった」と心底喜んでくれていた。

「いままで、何でもやりきれなくて、やりたい事もなかったけれど、一つ〝やりたい事〟が見つかりました。それは、詩を書き続けることです」

うれしくて、涙が滲《にじ》んだ。彼は、いまも詩を書いているそうだ。仕事が休みの日には、五つも六つも詩を書くという。いつか、ぜひ読ませてもらいたい。

伝言の最後には、こんな言葉もあった。

「外では、大変なことになっていますね……毎日ニュースを見ていて、こっちは三食きちんといただいているのに、外ではおにぎり一つでガマンしていて、こんなことでいいんだろうかと思います。何もできないもどかしさが残ります」

彼もまた、震災に心を痛め、被災地の復興を祈る一人なのだ。

犠牲になった方々のご冥福《めいふく》をお祈りするとともに、被災者の方々の心と体が癒《いや》される日の来ることを、強く願っている。

二〇一一年四月十一日

SPECIAL THANKS TO（敬称略）

◎奈良少年刑務所

平田利治（前・所長）、倉光修二（所長）、細水令子（前・統括矯正処遇官）、秋保光輝（統括矯正処遇官）、松崎英之（教育専門官）、竹下三隆（教育専門官）、乾井智彦（教育専門官）

◎奈良県教誨師会（以下アイウエオ順）

岩崎慶昭（浄土真宗本願寺派・乗明寺）、植村悦雄（天理教・佐保路分教会）、宇恵義昭（天理教・共成分教会）、遠藤勇司（日本基督教団・高の原教会）、楠樹章麿（真宗大谷派・妙蓮寺）、田中瑞修（融通念仏宗・興善寺）、當麻宏文（真宗大谷派・正行寺）、中野冨士夫（バプテスト・大和郡山聖書キリスト教会）、中村宏道（浄土宗・花園寺）、西岡健司（天理教・城里分教会）、西尾良史（天理教・都介野分教会）、濱崎敦（カトリックサレジオ会・四日市サレジオ志願院）、樋口俊夫（神社本庁・廣瀬神社）、久林高伸（浄土真宗本願寺派・常徳寺）、日高輝二（浄土真宗本願寺派・稱明寺）、廣井一法（浄土宗・蓮花寺）、藤田能宏（浄土宗・浄土寺）、藤本保（神社本庁・池坐朝霧黄幡比売神社）、松林俊明（真宗大谷派・真善寺）、宮谷泉（バプテスト・奈良福音教会）、山本静章（融通念仏宗・念仏寺）、脇屋好照（真宗興正派・光専寺）、脇屋眞一（浄土真宗本願寺

派・専立寺）

◎篤志面接委員協議会

池田静（教育）、磯野英男（俳人）、大川哲次（弁護士）、大島鳳淳（僧侶・妙要寺）、大谷徹奘（僧侶・薬師寺）、上司永照（僧侶・東大寺）、木村孝子（社会福祉）、阪口周平（英語教育）、素輪善典（薬物研究）、瀧川佳市（教育）、田中真瑞（僧侶・信貴山朝護孫子寺）、田渕五十生（教育・奈良教育大学）、露の新治（落語家）、真鍋泰輝（教育）、宮崎幹大（僧侶・白毫寺）、森住覚（僧侶・持国院正楽寺）、朴宗笱（教育）、三木善彦（臨床心理学・帝塚山大学）、皆川大真（僧侶・三松寺）、矢吹喜志雄（教育）

◎職業訓練　外部協力者

大森武司（講師・クリーニング科）、菊田亘彦（講師・内装施工科）、広域NPO法人アミューズメント・バリアフリー協会・中川るみ（講師・ホームヘルパー科）、全国ビルメンテナンス協会近畿地区本部（ビルクリーニング科）、奈良県電気工事工業組合（電気通信設備科）、森本健弘（講師・内装施工科）、ラソーンeビジネス専門学校・池田隆二（講師・情報処理技術科）、ほか外部協力団体（配管科・板金科・木材工芸科・理容科）

◎社会性涵養プログラム　外部協力者

朴宗笱（講師・SST）、八田育美（講師・絵画）、松永洋介（講師・物語の教室）

この作品は二〇一〇年六月長崎出版より刊行された。

今野勉著
宮沢賢治の真実
—修羅を生きた詩人—
蓮如賞受賞

猥、嘲、凶、呪……異様な詩との出会いを機に、詩人の隠された本心に迫る。従来の賢治像を一変させる圧巻のドキュメンタリー！

宮沢賢治著
新編 風の又三郎

谷川に臨む小学校に突然やってきた不思議な転校生——少年たちの感情をいきいきと描く表題作等、小動物や子供が活躍する童話16編。

宮沢賢治著
新編 銀河鉄道の夜

貧しい少年ジョバンニが銀河鉄道で美しく哀しい夜空の旅をする表題作等、童話13編戯曲1編。絢爛で多彩な作品世界を味わえる一冊。

宮沢賢治著
注文の多い料理店

生前唯一の童話集『注文の多い料理店』全編を中心に土の香り豊かな童話19編を収録。イーハトヴの住人たちとまとめて出会える一巻。

天沢退二郎編
新編 宮沢賢治詩集

自己の心眼と森羅万象との絶えざる交流と融合とによって構築された独創的な詩の世界。代表詩集『春と修羅』はじめ、各詩集から厳選。

宮沢賢治著
ポラーノの広場

つめくさのあかりを辿って訪ねた伝説の広場をめぐる顚末を描く表題作、ブルカニロ博士が登場する「銀河鉄道の夜」第三次稿など17編。

新潮文庫最新刊

帚木蓬生著

守教（上・下）

吉川英治文学賞・中山義秀文学賞受賞

人間には命より大切なものがあるとです――。農民たちの視線で、崇高な史実を描き切る。信仰とは、救いとは。涙こみあげる歴史巨編。

木内　昇著

球道恋々

弱体化した母校、一高野球部の再興を目指し、元・万年補欠の中年男が立ち上がる！　明治野球の熱狂と人生の喜びを綴る、痛快長編。

玉岡かおる著

花になるらん

―明治おんな繁盛記―

女だてらにのれんを背負い、幕末・明治を生き抜いた御寮人さん――皇室御用達の百貨店「高倉屋」の礎を築いた女主人の波瀾の人生。

古野まほろ著

新任刑事（上・下）

時効完成目前の警察官殺しの女を、若き新任刑事が追う。強行刑事のリアルを知悉した元刑事の著者にのみ描ける本格警察ミステリ。

板倉俊之著

トリガー

―国家認定殺人者―

近未来「日本国」を舞台に、射殺許可法の下、正義のため殺《あや》めることを赦されし者が弾丸を放つ！　板倉俊之の衝撃デビュー作文庫化。

福田和代著

暗号通貨クライシス

―ＢＵＧ　広域警察極秘捜査班―

世界経済を覆す暗号通貨の鍵をめぐり命を狙われた天才ハッカー・沖田シュウ。裏切り者の手を逃れ反撃する！　シリーズ第二弾。

空《そら》が青《あお》いから白《しろ》をえらんだのです

—奈良少年刑務所詩集—

新潮文庫　り－5－1

平成二十三年六月一日発行
令和二年五月二十五日十二刷

編者　寮《りょう》美《み》千《ち》子《こ》

発行者　佐藤隆信

発行所　株式会社新潮社

郵便番号　一六二—八七一一
東京都新宿区矢来町七一
電話 編集部(〇三)三二六六—五四四〇
読者係(〇三)三二六六—五一一一
http://www.shinchosha.co.jp

価格はカバーに表示してあります。

乱丁・落丁本は、ご面倒ですが小社読者係宛ご送付ください。送料小社負担にてお取替えいたします。

印刷・凸版印刷株式会社　製本・加藤製本株式会社

ISBN978-4-10-135241-1 C0192